NEW
서울대 선정
인문고전 60선

19

이중환 **택리지**

NEW 서울대 선정 인문 고전 ⑲

만화 이중환 택리지

개정 1판 1쇄 발행 | 2019. 8. 21
개정 1판 2쇄 발행 | 2021. 9. 27

전근완 글 | 김강섭 그림 | 손영운 기획

발행처 김영사 | 발행인 고세규
등록번호 제 406-2003-036호 | 등록일자 1979. 5. 17.
주소 경기도 파주시 문발로 197 (우10881)
전화 마케팅부 031-955-3100 | 편집부 031-955-3113~20 | 팩스 031-955-3111

값은 표지에 있습니다.
ISBN 978-89-349-9444-2
ISBN 978-89-349-9425-1(세트)

좋은 독자가 좋은 책을 만듭니다. 김영사는 독자 여러분의 의견에 항상 귀 기울이고 있습니다.
전자우편 book@gimmyoung.com | 홈페이지 www.gimmyoungjr.com

이 도서의 국립중앙도서관 출판예정도서목록(CIP)은 서지정보유통지원시스템 홈페이지(http://seoji.nl.go.kr)와 국가자료종합목록시스템(http://www.nl.go.kr/kolisnet)에서 이용하실 수 있습니다. (CIP제어번호 : CIP2018042491)

어린이제품 안전특별법에 의한 표시사항
제품명 도서 제조년월일 2021년 9월 27일 제조사명 김영사 주소 10881 경기도 파주시 문발로 197
전화번호 031-955-3100 제조국명 대한민국 ▲주의 책 모서리에 찍히거나 책장에 베이지 않게 조심하세요.

미래의 글로벌 리더들이 꼭 읽어야 할 인문고전을 **만화**로 만나다

NEW 서울대 선정 인문고전 60선

19

이중환 택리지

전근완 글 · 김강섭 그림

주니어김영사

〈NEW 서울대 선정 인문고전60〉이 국민 만화책이 되기를 바라며

제가 대여섯 살 때 동네 골목 어귀에 어린이들에게 만화책을 빌려주는 좌판 만화 대여소가 있었습니다. 땅바닥에 두터운 검정 비닐을 깔고 그 위에 아이들이 좋아하는 만화책을 늘어놓았는데, 1원을 내면 낡은 만화책 한 권을 빌릴 수 있었지요. 저는 그곳에서 만화책을 보면서 한글을 깨쳤고 책과의 인연을 맺었습니다.

초등학교 때는 용돈을 아껴서 책을 사서 읽었고, 중학교 때는 학교 도서 반장을 맡아 도서관에서 매일 밤 10시까지 있으면서 참 많은 책을 읽었습니다. 그 무렵 헤밍웨이의 《노인과 바다》를 손에 땀을 쥐며 읽으면서 인생에 대해 고민했고, 헤르만 헤세의 《수레바퀴 아래서》를 읽으며 사춘기의 심란한 마음을 달랬습니다. 김래성의 《청춘 극장》을 밤새워 읽는 바람에 다음 날 치르는 중간고사를 망치기도 했습니다.

당시 저의 꿈은 아주 큰 도서관을 운영하는 사람이 되어 온종일 책을 보면서 책을 쓰는 작가가 되는 것이었습니다. 나이가 들고 어느 정도 바라는 꿈을 이루었습니다. 큰 도서관은 아니지만 적당한 크기의 서점을 운영하고, 글을 쓰는 작가가 되었거든요. 저는 여기에 새로운 꿈을 하나 더 보탰습니다. 그것은 즐거운 마음과 힘찬 꿈을 가지게 해 주고, 나아가 자기 성찰을 도와주는 좋은 만화책을 만드는 일이었습니다. 이렇게 해서 만든 책이 바로 〈서울대 선정 인문고전〉입니다. 서울대학교 교수님들이 신입생과 청소년들이 꼭 읽어야 할 책으로 추천한 도서들 중에서 따로 60권을 골라 만화로 만든 것입니다. 인류 지성사의 금자탑이라고 할 수 있는 고전을 보기 편하고 이해하기 쉽도록 만화책으로 만드는 일은 쉬운 일은 아니었습니다. 약 4년 동안에 수십 명의 학교 선생님들과 전공 학자들이 원서의 내용을 정확하게 전달할 수 있도록 밑글을 쓰고, 수십 명의 만화가들이 고민에 고민을 거듭하면서 만화를 그려 60권의 책을 만들었습니다.

〈서울대 선정 인문고전〉이 완간되었을 무렵에 우리나라에 인문학 읽기 열풍이 불기 시작했습니다. 〈서울대 선정 인문고전〉은 인문학 열풍을 널리 퍼뜨리는 데 한몫을 하면서 독자들의 뜨거운 사랑과 관심을 받았습니다. 덕분에 지금까지 수백만 권이 팔리는 베스트셀러가 되었습니다. 그 사랑에 조금이나마 보답을 히기 위해 《칸트의 실천이성 비판》, 《미셸 푸코의 지식의 고고학》, 《이이의 성학집요》 등 우리가 꼭 읽어야 할 동서양의 고전 10권을 추가하여 만화로 만들었습니다.

〈서울대 선정 인문고전〉은 어린이와 청소년이 부모님과 함께 봐도 좋을 만화책입니다. 국민 배우, 국민 가수가 있듯이 〈서울대 선정 인문고전〉이 '국민 만화책'이 되길 큰마음으로 바랍니다.

손영운

'발로 쓴' 우리 땅에 대한 끊임없는 관심

사람들이 살아가기 위해서 기본적으로 갖추어야 할 것들은 흔히 '의 · 식 · 주' 라고 합니다. 이 중에 하나라도 없으면 살아가는 데 많은 어려움이 있을 수밖에 없습니다. 그렇기 때문에 현재는 물론이고 옛날부터 사람들은 모두 이 의 · 식 · 주에 많은 관심을 가질 수밖에 없답니다. 어떤 옷을 입을 것인지, 어떤 것을 먹고, 어디에서 살 것인지 말입니다. 아마 이러한 관심은 인간이 살아가는 한 끊임없이 지속되리라 생각합니다.

이중환의 《택리지》는 이 중에서 '어디에서 살 것' 인지에 관해 쓴 책입니다. 이중환은 조선 시대에 사람들이 살기에 좋은 곳이 어디인지를 찾고자 노력했던 사람입니다. 그리고 《택리지》는 그가 전국을 돌아다닌 경험을 바탕으로 우리나라 각 지방이 사람이 살 곳으로서 어떠한지에 대해 기록한 책입니다.

이 책은 우리나라 역사에 있어서 특별한 책입니다. 왜냐하면 그 이전에는 어느 누구도 우리나라 각 지방을 실제로 돌아다닌 후에, 그 경험을 이렇게 체계적으로 기록한 적이 없기 때문입니다. 그렇기 때문에 《택리지》는 이중환이 발로 쓴 우리나라 최고의 지리서라 할 수 있습니다. 또한 그동안 우리나라의 역사서들이 주로 왕을 중심으로 기술한 책들인데 반해, 《택리지》는 우리나라의 자연환경과 그 곳에서 실제로 살고 있는 사람들의 삶에 대해 기록한 책입니다. 또한 이 책에는 단순히 우리의 살 곳에 대한 기록만이 아니라 그 당시 조선 사회의 불합리한 제도와 관습에 대해서도 언급하고 있습니다. 그러므로 여러분은 《택리지》를 읽음으로써 조선 시대 각 지방의 사람들이 실제

로 어떻게 살고 있었는지 생생하게 알게 될 겁니다.

이 《택리지》를 지은 이중환의 개인적인 삶은 순탄하지 않았습니다. 젊은 나이에 과거에 급제했지만 뜻하지 않은 사건에 연루되어 유배를 당한 후, 그 뒤로 전국을 떠도는 생활을 했기 때문입니다. 벼슬길에 다시 돌아가지 못한 그가 죽기 몇 년 전에 쓴 유언과도 같은 책이 바로 《택리지》입니다. 마치 중국의 사마천이 자기의 뜻을 이루기 위해 온갖 치욕을 감수하며 《사기》라는 책을 쓴 것처럼, 이중환은 《택리지》를 썼습니다. 이 책을 읽으며 여러분은 이중환이 얼마나 우리 국토와 조선의 현실에 대해 관심을 갖고 있었는지 알 수 있을 겁니다. 아울러 여러분들이 이중환의 삶에서 또 다른 배움의 기회를 갖기를 기대해 봅니다.

여러분에게 이중환의 《택리지》를 소개하는 데 있어서, 원문의 뜻이 손상되지 않는 범위 내에서 가능한 한 쉽게 전달하고자 했습니다. 다만 그 과정 중에 원문의 일부가 부득이하게 제외된 부분들이 있습니다. 그렇기 때문에 더 자세한 내용을 알고자 하는 학생들은 《택리지》 원문을 해석한 책을 읽어 보기를 권합니다.

이 책이 나오기까지 여러분들이 수고를 해주셨습니다. 무엇보다 《택리지》가 만화로 옮기기에 어려운 작업임에도 불구하고 예쁘고 멋지게 그려주신 김강섭 선생님에게 고마움을 전합니다. 아울러 좋은 책이 나올 수 있도록 도와주신 손영운 선생님, 편집부의 김준영 팀장에게도 고마움을 전합니다.

마지막으로 여러분들이 이 책으로 우리나라 지리와 역사에 대해 더 많이 이해할 수 있는 계기가 되었으면 하는 바람을 가져봅니다.

전근완

땅에 대한 애정으로 바라본 나라

이사를 해야 할 때면, 우리는 항상 생각합니다. '어디로 갈까?', '어디가 좋을까?' '어디가 땅값이 많이 오를까?' 라며 많은 고민을 하지만 막상 어디로 갈 것인지 결정하기가 쉽지 않지요.

그저 직장인들에게는 회사랑 가까운 곳이면 좋은 곳이고, 주부들에게는 시장이나 장보기 편한 곳이면 좋은 곳이고, 학생들에게는 학교 다니기 편한 곳이면 좋은 곳이라 생각하며 자기 형편에 맞거나 필요에 의해 이사 갈 곳을 정하곤 합니다.

이처럼 우리는 정작 자신의 삶에 정말 밀접히 연관되어 있는 문제인데도 어디가 살기 좋은 곳인지, 어디가 살기 좋지 않은 곳인지 알지 못합니다. 어떤 사람들은 풍수지리를 믿어 풍수가가 막연히 '이곳은 좋다.', '저곳은 나쁘다.' 라고 말하면 그것을 믿고 '이곳은 좋은 곳', '저곳은 나쁜 곳' 이라고 단정 짓습니다.

또 좋은 땅, 즉 '명당' 을 사서 이익을 보려는 사람은 많지만 정작 그 땅이 왜 '명당' 인지 알려는 사람은 많지 않습니다.

저 역시 살기 좋은 곳은 땅 값이 비싼 지역이고, 땅 값이 싼 곳은 살기 좋지 않은 곳이라고 믿고 살아왔습니다. 하지만, 이중환의 《택리지》를 접하고 만화 작업을 하면서,

사람 살기 좋은 곳은 지리뿐만 아니라 자연과 사람의 인심 또한 중요하다는 것을 깨달았습니다.

여러분도 이중환이 우리나라에 대해서 자세히 써 놓은 《택리지》를 통해 '어떤 땅이 비싸고, 어떤 땅이 살기 좋다.'를 알기보다는 우리나라에 대해 좀 더 알고, 좀 더 깊게 이해할 수 있었으면 좋겠습니다. 이 책을 읽는 모든 독자들도 저처럼 우리나라를 더욱 더 사랑할 수 있기를 바랍니다.

마지막으로, 이 책이 나올 수 있도록 도와주신 많은 분들과 콘티작가 용민이와 컬러 작업을 한 철암, 미래에게 감사를 전합니다.

김강섭

| 차 례 |

제1장
《택리지》는 어떤 책일까?
안녕? 여러분.
혹시 《택리지》란 책에 대해 들어 본 적 있어?
택리지
안녕? 택리지라고 해.
오! 들어 봤다구? 대단한걸?
그런데 모르는 친구들도 있는 거 같은데?
뭐야?
뭐야?
택리지가 뭐지?
택리지
몰라.
?
하지만 걱정 말라구!
!
펑!
!
이 책을 읽고 있다는 건 일단 관심이 있다는 거니까.

자, 그럼
시작해 볼까?
촤악
인간의 세 가지
욕구가 뭔지 알아?
헛
3
핫
쿵
입고, 먹고, 자는 것!
衣
食
住
어떤 사람은 그 중요성에 따라서
'식, 주, 의'라고도 하지.
난 한 끼만
굶으면 죽을 거
같아!
무슨 소리!
부끄러운 줄
알아야지!
윽!
의식주
배부른 소리!
인간답게
살아!
의식주
어쨌든…
의식주가 조화롭게 이루어진 곳을 낙원이라고 하지!
그럼 인류 최초의 낙원에 대한 기록은
무엇일까?
헤-
바로 성경이야!
성경
한번 볼까?
같이 좀
보자.

아담과 이브가 살던 에덴 동산은
온갖 동물들이 어울려 살고
아름다운 꽃과 열매가 풍성하며
늙지도 죽지도 않는 곳이지.
경치가 기가 막히게 아름다운 곳에서
사랑하는 사람과 입을 걱정, 먹을 걱정 없이
영원토록 살 수 있는 곳이 에덴동산이라는 곳이지.
아담과 이브는 입을 걱정은 하지 않았다고?
혼자만 보구!
칫!
그렇네….
여러분도 그런 곳에서 살아 보고 싶지 않아?
헤벌레..

아! 나도 사랑하는
내 님과 낙원에서
살고 싶다!
쯧쯧
하지만 현실세계에서는 아무리 눈을 씻고 찾아 봐도 에덴동산은 없지.
낙원이 어디야~
오히려 우리가 살고 있는 곳은 동물의 왕국처럼
캑
앙-
강한 자가 약한 자를 지배하고
잘해라~
넹!
먹고 살기 위해 아등바등해야 하는 곳이야.
결국 낙원이란,
휙-
철푸덕
꿈에서나 볼 수 있는 곳이 돼 버린 거지.
?
음냐~
보신탕
없는 세상.
그렇다면
낙원에 대한 꿈은
헛된 것일까?
내 대사를!
낙원이 현실에 없다면 그와 비슷한 곳을 찾거나 만들려는 노력을 해 볼 수는 있지 않을까?
깡 깡
낙원
깡 깡
비록 낙원은 아니더라도 사람들이 만족을 하며 살 만한 곳 말이야.
동막골에 오신 것을
환영하드래요.
그럼 실제로 이러한 노력을 한 사람이 있었냐고? 있었지! 바로 우리나라에 말이야.

그 사람은 조선 후기 사람이야.
조선후기
바로 《택리지》를 쓴 이중환!
짜잔
우리나라 곳곳을 돌아 본 다음 가장 살기 좋은 곳은 어떤 곳인지 살펴 본 사람이지.
일단 '택리지'의 뜻은 '살기에 좋은 마을을 고르는 법에 대한 기록' 정도가 되지!
擇 - 고를 택
里 - 마을 리
志 - 기록 지
요즘 출판 됐으면 아마 이랬을 거야.
사람 살기 좋은 곳을 알려주마
살기 좋은곳 고르는법 100문 100답
지금도 잘 팔릴 것 같지?
응!
《택리지》는 크게 세 부분으로 나뉘어.
택리지
사민총론
팔도총론
복거총론
첫 번째 장은 '사민총론' 즉 조선 시대의 네 가지 신분에 관한 이야기야.
1.사민총론
사농공상
왜 첫 내용으로 신분에 관한 내용이 나올까?
에헴
흐흠
그것은 사는 곳의 좋고 나쁨이 그 사람의 처지에 따라 달라지기 때문이지.
농부에게는 농사 잘 되는 비옥한 땅이 좋고
어부는 물고기가 잘 잡히는 바다 근처가 좋지.
만선이구나!

그래! 즉 누가 사느냐에 따라 기준이 달라지는 거지!
아, 전원생활이 그립다…!
그건 요즘도 다르지 않아.
내 자식은 이 고생 안 시킨다!
하지만 지금은 노비는 없지 않냐고? 맞아.
국민의 머슴
그건 공무원이고!
조선 시대의 노비는 아마 신분차별이 없는 곳에서 살고 싶었을 거야.
노비의 자식이 공부는 해서 뭐해!
그래서 《택리지》는 신분 이야기를 제일 처음에 다루고 있지.
흥! 다 해먹어라.
그럼 조선 시대의 신분에 대해 알아볼까?
서당개 삼 년에 풍월을…
조선 시대는 사, 농, 공, 상. 즉 선비, 농부, 수공업자, 상인으로 신분이 나뉘어 있었지.
사 농 공 상
에헴~
택리지는 이 중 사(士), 즉 양반이 살 만한 곳.
바둥
바둥
높은 벼슬을 한 집안의 사람인 사대부*가 살 만한 곳에 대해 말하고 있어.
벼슬을 하사하노라.
성은이 망극하옵니다.
왜 양반이냐구?
켁
음, 아마도 이중환 자신이 살고 싶었던 곳을 찾고자 했던 게 아닐까?
흠~
결국 《택리지》란 '사대부가 살 만한 곳에 관한 책'이라고 할 수 있지.

*사대부(士大夫) – 양반을 달리 부르는 말.

두 번째 장은 팔도총론(八道總論)이야.
조선 시대 여덟 지방의 지리에 대해 쓰고 있어.
살 만한 곳을 찾기 위해서는 일단 우리가 살고 있는 곳이 어떤 곳인지 알아볼 필요가 있겠지?
너 자신을 알라!
소크라테스
BC 469~399
그렇기 때문에 각 지방별로 그 곳의 지형, 기후, 역사, 주요 인물, 명승지, 산업 등에 대해서 설명을 하고 있어.
《택리지》 한 권이면 여행갈 때 문제 없겠다고?
맞아! 오늘날의 여행기를 보는 듯하지.
블로그에 올려야지!
치즈
택리지
그래서 오늘날 어떤 사람들은 이 책을 국토기행문이라고도 말하고 있어.
기행문
?
세 번째 장은 복거총론(卜居總論)이야.
마지막 장이야!
'복(卜)' 자는 '점을 쳐 길흉을 판단하다' 라는 뜻으로 많이 쓰이지.
제 연애운을 봐 주세요!
수리 수리
하지만 여기서는 점을 친다는 의미는 아냐.
이자식이!
평생 혼자 살 운명이로군!
헤헤
여기서는 '헤아리다' 라는 의미로 쓰이고 있어.
흥
쿠당
'거(居)' 자는 '거주하다' 라는 의미야.
즉, 복거(卜居)란 '살 만한 곳(居)을 가려서(卜) 정한다' 는 뜻이지.

이때 살기 좋은 곳이란 지리(地理), 생리(生利), 인심(人心), 산수(山水)의 네 가지 조건을 잘 갖추고 있는 곳으로 보았어.
지리
생리
산수
인심
여기서 지리란 땅의 모양이 사람의 삶에 영향을 준다고 하는 풍수지리(風水地理),
저쪽에 조상묘를 쓰면….
생리는 우리나라 각 지방의 경제적 활동,
거래 합시다.
인심은 각 지방의 인심과 풍속,
산수는 각 지방의 경치 좋은 곳에 대해서 설명하는 내용이야.
네 가지 조건으로 봤을 때, 우리나라에서 살기 좋은 곳은 어디인지
하 하 하 하
지리
생리
인심
산수
또 살기 나쁜 곳은 어디인지에 대해서 말하고 있어.
흥
흥
흥
흥
지리
인심
산수
생리
이처럼 《택리지》라는 책은 사대부가 살 만한 곳이 어디인지 알아보려는 목적으로 쓰여졌지만
딱
사실 다루고 있는 내용은 대단히 다양하고 풍부해.
그렇기 때문에 이 책을 베낀 사람들이 어떠한 내용에 관심을 갖는가에 따라 책 제목을 달리 붙이기도 했어.
흠
슥슥
조선 시대의 책들은 대부분 인쇄한 것이 아니라 사람이 직접 손으로 옮겨 적은 것이야.
이를 필사본이라 하지.
잘들 베끼라구!
필사본이기 때문에 베낀 사람들마다 관심은 다 달랐을 거야.
어떤 제목을 붙일까?
견리지

그 덕분에 《택리지》란 이름 외에도
다른 이름으로 된 필사본들이
약 10여 종 전해지고 있어.
택리지
와~우
그 중에서
《동국총화록(東國總貨錄)》은
우리나라 각 지방의 상품에 대해,
《팔역복거지(八域卜居志)》는 살 만한
곳에 대해,
팝니다!
주방, 욕실 완비
살만한 곳.
《동국산수록(東國山水錄)》은 경치가 좋은
곳에 대해 각각 중점을 두고 제목을
붙인 것으로 볼 수 있어.
마찬가지로 오늘날에도 이 책에 대한
평가는 다양한 편이야.
앙
택리지
역사학자들은 역사책으로,
Korean history!
경제학자들은 '생리(生利)' 편이 경제적
이익에 관해 쓰여졌기 때문에 경제 관련
책으로,
택리지
풍수학자들은 '지리' 편이
풍수지리와 관련이 있어
풍수 쪽으로,
또 어떤 사람들은
국토기행문으로 이해하기도
하지.
하지만 이 책에서 다루고 있는
대부분의 내용들이 현대 지리학에서
다루고 있는 내용과 같기 때문에
안녕?
안녕?
택리지
이 책은 조선 시대의 지리에
관한 책으로 보는 것이 일반적이야.
우리 사촌?
지리
택리지
여러분이 학교에서 배우는
지리 교과서와 비슷한 책이라고
생각하면 이해가 잘 될 거야.
지리

지리지란 각 지역에 대한 정보를 체계적으로 기술해 놓은 책이야.
바쁘다 바빠!
역사
자연
인구
산업
조선 시대 지리지는 주로 국가에서 발행한 것이 많은데
다 만들었사옵니다.
오~
이것을 관찬지리지라고 해. 행정기관에서 편찬한 지리지란 말이지.
어디 있더라?
대표적인 것이 조선 전기에 간행된 《신증동국여지승람》이야.
여기 있군.
동국여지승람
나라의 지리지를 만드는 것은 왕도 중요하게 여겼지.
신증동국여지승람
착
신증동국여지승람
국가에서 발행한 지리지는 한 지역의 자연, 역사, 인구, 산업 등에 관해 썼으며, 같은 순서로 다른 지역에서도 동일하게 썼어.
칙칙폭폭
자연
역사
인구
산업
etc
이런 식의 글쓰기를 백과사전식 글쓰기라고 해.
기우뚱
백과사전
이런 지리지는 통치를 목적으로 쓰여진 것이지.
여봐라!
네~
그래서 일반 사대부나 백성들의 경우 거의 쓸모가 없었어.
앗뜨거!

예를 들어 볼까?
슈~웅
슈-웅
여러분이 제주도로 여행을 떠난다고 했을 때
제주도를 알기 위해 백과사전을 참고하는 사람은 없을 거야.
여행코너
제주도가 나온 백과사전 주세요.
엥
오히려 제주도에 관한 기행문을 읽거나, 제주도를 다녀온 사람의 블로그를 참고하는 게 낫지.
오~
이러한 자료가 우리에게 꼭 필요한 내용들을
숙박
식당
관광지
목적지
부~웅
생동감 있고, 현실감 있게 전달하고 있기 때문이지.
백과사전이 아니라 오늘날의 여행기나 블로그와 마찬가지 역할을 했던 지리지가 바로 《택리지》라고 볼 수 있지.
실제로 내용을 보면 여행 기행문이라고 해도 손색이 없어.
내일은 또 어디를 가볼까?
이 책의 또 다른 이름이 《동국산수록》일 정도였으니까.
같은 거야.
택리지
동국산수

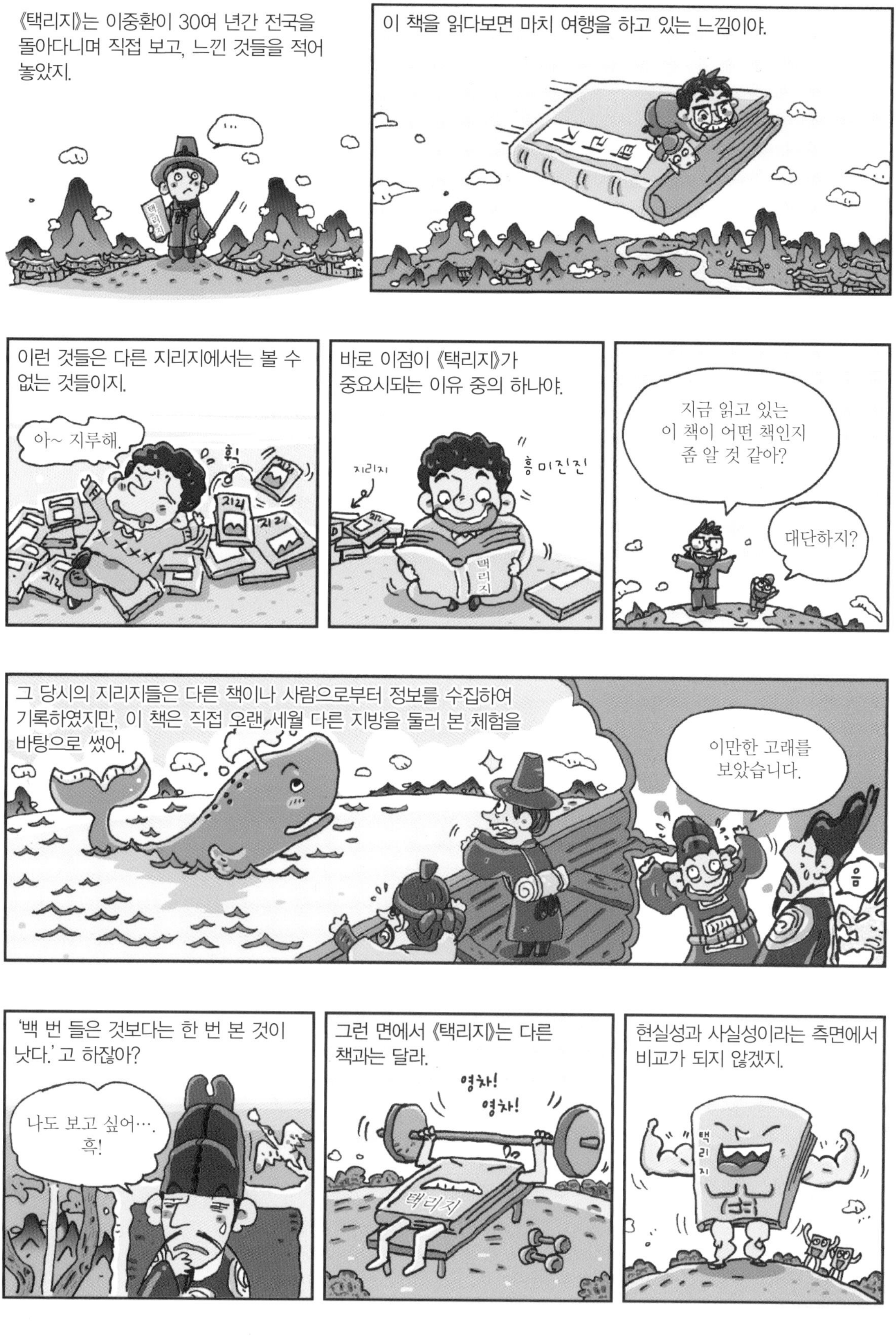
《택리지》는 이중환이 30여 년간 전국을 돌아다니며 직접 보고, 느낀 것들을 적어 놓았지.
…
택리지
이 책을 읽다보면 마치 여행을 하고 있는 느낌이야.
택리지
이런 것들은 다른 지리지에서는 볼 수 없는 것들이지.
아~ 지루해.
흑
지리
지리
지리
바로 이점이 《택리지》가 중요시되는 이유 중의 하나야.
지리지
흥미진진
택리지
지금 읽고 있는
이 책이 어떤 책인지
좀 알 것 같아?
대단하지?
그 당시의 지리지들은 다른 책이나 사람으로부터 정보를 수집하여 기록하였지만, 이 책은 직접 오랜 세월 다른 지방을 둘러 본 체험을 바탕으로 썼어.
이만한 고래를
보았습니다.
음
'백 번 들은 것보다는 한 번 본 것이 낫다.' 고 하잖아?
나도 보고 싶어….
흑!
그런 면에서 《택리지》는 다른 책과는 달라.
영차!
영차!
택리지
현실성과 사실성이라는 측면에서 비교가 되지 않겠지.
택리지

여러분들은 이중환이 실제 전국을 돌아다니며 자신이 직접 보고 느낀 것을 적은 거라니까
이중환이 팔자가 좋아서 유람했다고 오해할지 모르지만….
여행을 떠나요~!
빵~
빵~
사실은 이중환의 개인적 불행과 밀접한 관계가 있어.
콰
띠용~
이중환은 당쟁으로 인해 젊은 나이에 귀양을 가게 되는데
그때부터 30여 년간 전국을 떠돌게 되지.
….
한창 일할 나이에 덧없이 전국을 떠돌면서
이 짓을 언제까지 해야 하나….
각 지방의 지리에 대해 보고 느낀 많은 것을 책으로 남긴 것이 바로 《택리지》야.
화~아
난 팔자가 좋았어도 《택리지》 같은 책은 못 만들었을 거야.
헤~
그건 그래!
《택리지》는 이중환의 삶이 밑바탕이 된 거라고 할 수 있어.
턱
이 내용에 대해서는 2장에서 더 자세히 설명해 줄게.
저게 또 내 대사를…
2장
2장

어떤 사람들은 이 책을 기행문 정도로 보고 학문적 성과가 낮다고 하지.
학문
하지만 이 책이 오늘날 최고의 지리서로 평가받는 이유가 뭘까?
와
와아
1
각 지방을 세밀하게 관찰한 후 내용을 자세하게 묘사하고 있을 뿐만 아니라
각 지방의 특성을 그 곳의 자연, 인문환경에 기초하여 설명하고 있기 때문이야.
각지방의 특성
자연
인문환경
조선 시대 지리지들은 지리적인 현상 즉 지형, 기후, 동물이나 민족의 분포, 이동을 단순히 열거하는 수준이었어.
앞에서 말했듯 백과사전식이지.
탁
백과사전
택리지는 다른 지리지들과 어떤 차이점을 보이는 걸까?
택리지
부~웅
바로 그 지리적인 현상의 결과 뿐만이 아니라 원인까지 밝히고 있다는 것이지.
팡
원인
결과
예를 들면 '평안도 지방은 지형이 높고 춥기 때문에(원인) 꽃과 과실이 적다(결과).' 라든가
휘이이
혹은 '교통의 요지가 되므로(원인) 부자가 많다(결과).' 와 같은 표현들이야.
이런 방식은 다른 조선 시대 지리지들에 비해 학문적으로 진일보한 것이라고 할 수 있지.
택리지
뿌다다다다다

그러면 《택리지》는 어떻게 기존 지리지와 다르게 쓰여질 수 있었을까?
조선 후기에 백과사전식 지리지에 변화를 준 계기가 나타났어.
바로 전쟁이야!
푹욱
임진왜란과 병자호란이라는 커다란 전쟁으로 인해 배운 사람들 사이에 반성이 있었던 것이지.
'왜 전쟁에 대비하지 못했을까?', '더 강한 나라가 되려면?'과 같은 반성 말이야.
그 반성의 결과, 형식이나 체면보다 실제로 도움이 될 만한 내용들을 중요시하는 학문이 나타났는데 그것이 바로 실학이야.
실제로 도움이 되는 학문이란 말이지!
실학의 시초 반계 유형원 (1622~1673)
안녕
실학
이러한 실학의 경향은 지리지에서도 나타났는데
지리
그 대표적인 책이 바로 《택리지》야.
택리지
대표
이 책은 단순히 다른 책들을 참고하여 만든 책이 아니고 경험한 내용을 바탕으로 만들었기 때문에
읽는 사람에 따라 다양하게 활용될 수 있는 책이야.
오~
와
우
바로 이러한 이유 때문에 《택리지》가 한국 최고의 인문지리서로 평가받는 거지.
으하하~

일본에서는 《조선팔역지》라는 이름으로, 중국에서는 《조선지리소지》라는 이름으로 각각 번역 출간했다는 사실은,
조선지리소지
조선팔역지
그 가치가 국내는 물론 국외에서도 인정 받았다는 것을 증명하지.
택리지
슈퍼스타
물론 현재에도 이 책과 관련된 많은 책들과 논문이 있고,
많은 사람들이 여전히 관심을 가지고 있기도 하지.
Best 셀러
택리지
이처럼 몇 백 년 동안 계속해서 읽혀지고 있다는 것은 현재에도 가치가 있다는 얘기일 거야.
택리지
이렇게 변하지 않는 가치를 지닌 책을 '고전' 이라고 하지.
고전
그런데 현재의 지리도 아니고 옛 조선 시대에 대해 쓴 《택리지》가 왜 계속 읽혀지는 걸까? 또한 이 책을 읽으면서 무얼 배울 수 있을까?

가끔 여러분은
자신이 어떤 사람인지
궁금하지 않아?
난 개야.
'내가 누구일까?' 하는 생각, 한 번쯤
해 보았을 거야.
난 어떤 개인가….
力
그런 생각이 들 때 어떻게 하면
될까?
어디 있더라
뒤적
뒤적
가장 좋은 방법은 여러분이 과거에
쓴 일기장이나 사진들을 보는 거야.
앨범
찾았다!
일기장과 사진을 보며 좋은 것,
싫은 것, 잘한 것 혹은 잘못한 것 등을
살펴보면 여러분이 어떤 사람인지
알 수 있을 거야.
내가
이랬었구나
….
일기
과거를 돌아봐야 현재를 알 수
있는 법이지!
과거
현재
이렇게 자기 자신을 제대로 이해한다면 그 이해를
바탕으로 미래를 계획할 수 있겠지?
현재
미래
마찬가지로 현재의 우리나라를 이해하기 위한 가장 좋은
방법은 바로 우리나라의 과거를 살펴보는 거야.
미래
현재
과거
우리나라의 과거를 알 수 있는
대표적인 것이 바로 역사책이지.
역사
INK
역사책은 주로 왕이나 주요 인물 또는
중요한 역사적 사건만을 다루고 있기
때문에.
E=mc²
너 자신을
알라!
용성
실제 옛 사람들이 살아가는
모습이나 각 지방의 지리에 대해
이해하는 것에는 한계가 있어.
?
?

이때 우리나라 조선 시대 각 지방의 지리나 생활에 대해 잘 알려주는 것 중 대표적인 것이 《택리지》야.
택리지
이 책이 비록 조선 시대에 쓰여졌지만, 오히려 현재 우리나라의 지리와 생활을 이해하는 데 도움이 될 거야.
니 덕에 이해가 잘 된다.
택리지
그리고 우리 선조들이 우리 땅을 어떻게 생각하고 인식했는지 알아보는 데도 도움이 되리라고 생각해.
안녕하세요~
그걸 바탕으로 우리가 살고 있는 지방의 특색을 어떻게 살려가야 하는지
뽁
이 땅을 어떻게 다루어야 하는지에 대해 생각해 볼 수 있는 좋은 계기가 되겠지.
쑤욱
《택리지》가 이런 중요성을 갖고 있는 책이지만
여행을 떠나 볼까?
아무래도 조선 시대의 가치관을 반영하고 있기 때문에 오늘날 비판을 받고 있는 점도 몇 가지 있지.
!!
비판
비판
그중 한 가지가 땅의 좋고 나쁨이 사람에게 영향을 미친다는 풍수지리설의 영향이야.
쿨쿨
으~ 가위 눌렸어.
'좋은 땅에서 태어나면 큰 인물이 될 수밖에 없다.' 라는 것이지.
大
오늘날 이건 비합리적인 사고로 받아들여지고 있어. 큰 인물이 되고 말고는 개인의 노력이 더 크니까 말이야.

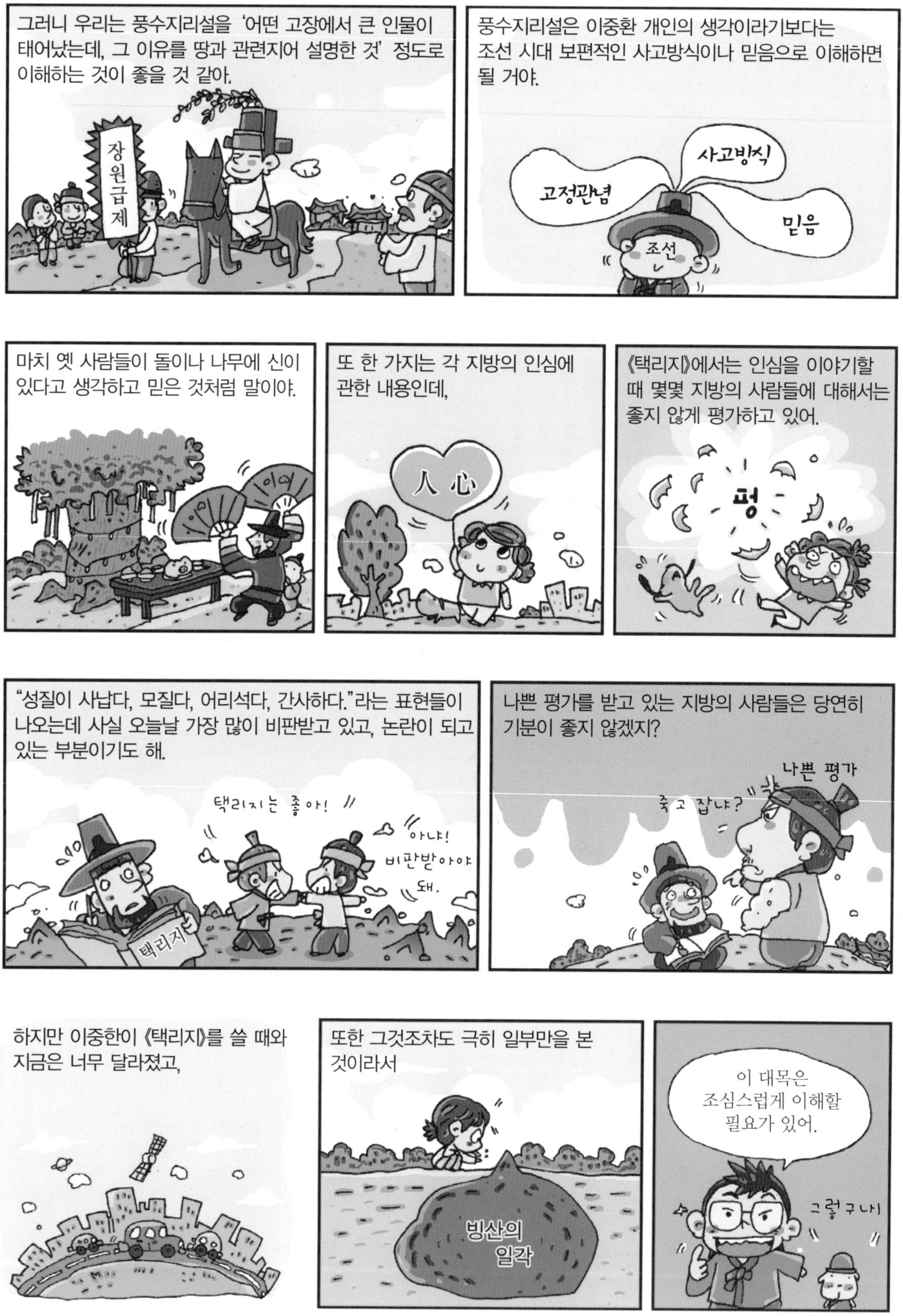
그러니 우리는 풍수지리설을 '어떤 고장에서 큰 인물이 태어났는데, 그 이유를 땅과 관련지어 설명한 것' 정도로 이해하는 것이 좋을 것 같아.
장원급제
풍수지리설은 이중환 개인의 생각이라기보다는 조선 시대 보편적인 사고방식이나 믿음으로 이해하면 될 거야.
고정관념
사고방식
믿음
조선
마치 옛 사람들이 돌이나 나무에 신이 있다고 생각하고 믿은 것처럼 말이야.
또 한 가지는 각 지방의 인심에 관한 내용인데,
人心
《택리지》에서는 인심을 이야기할 때 몇몇 지방의 사람들에 대해서는 좋지 않게 평가하고 있어.
펑
"성질이 사납다, 모질다, 어리석다, 간사하다."라는 표현들이 나오는데 사실 오늘날 가장 많이 비판받고 있고, 논란이 되고 있는 부분이기도 해.
택리지는 좋아!
아냐! 비판받아야 돼.
택리지
나쁜 평가를 받고 있는 지방의 사람들은 당연히 기분이 좋지 않겠지?
나쁜 평가
죽고 잡냐?
하지만 이중한이 《택리지》를 쓸 때와 지금은 너무 달라졌고,
또한 그것조차도 극히 일부만을 본 것이라서
빙산의 일각
이 대목은 조심스럽게 이해할 필요가 있어.
그렇구나

왜냐하면 이런 평가는 사람에 따라, 장소에 따라, 시대에 따라 달라지기 때문이지.
슈우우웅~
이 평가는 이중환 개인의 평가일 뿐더러
잘생겼군~
조선 시대의 사람에 대한 평가 기준이 현재와는 다르기 때문에
어라? 옷 꼬라지하곤
외계인 아냐
그러한 평가를 오늘날까지 확대 해석해서는 안 되겠지.
확대 해석
드드드드
꼭 명심해야 돼.
확대 해석
이렇게 될지도 몰라~
이중환이 사람들이 살 만한 곳에 관심을 갖고 이 책을 쓰게 된 이유는 바로 그의 삶과 밀접한 관련이 있다고 했지?
삶
그런 삶이 없었다면 지금 우린 이중환과 《택리지》를 모르고 살았을 거야.
택리지
누구
누구
누구지?
?
그러면 이중환은 이 책을 어떻게 쓰게 된 걸까?
궁금하지 않아?
?
다음 장에서는 이중환이 어떤 사람이었는지, 그리고 왜 《택리지》를 쓰게 되었는지 살펴 볼 거야.
택리지
뭐지? 이 소외감은
드디어 내 차례군.

또 다른 지리서들

'지리서地理書' 란 예전에는 '지리지地理志' 라고 불리던 책들입니다. 좀 더 설명을 덧붙이자면 어떤 지역의 지리적 정보를 체계적으로 기술해 놓은 책이라고 할 수 있습니다. 그런데, 한 지역의 지리적 정보는 그 양이 상당하기 때문에 정보를 수집하고, 분류하여, 지리서를 만드는 일은 한 개인이 하기에는 너무 방대한 작업이라고 할 수 있습니다. 결국 지리서들은 주로 국가가 발행하는 경우가 많았습니다. 국가가 각 지방의 관리를 통해 필요한 정보를 수집하고, 그것을 분류하여 지리지로 만드는 것입니다. 이를 '관찬지리지官撰地理志' 라고 합니다.

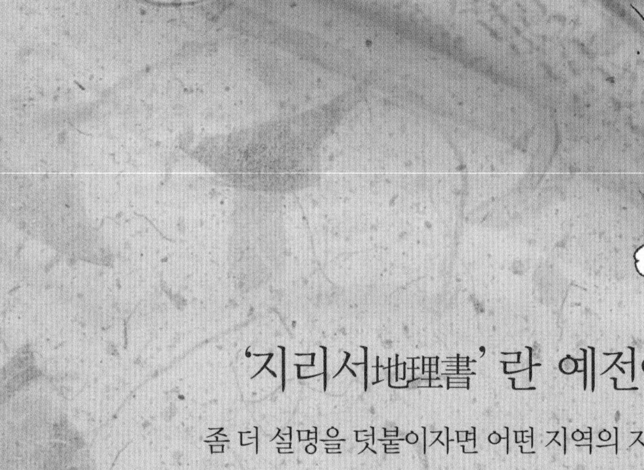

▲
《신증동국여지승람》에 실린 '팔도총도', 규장각 소장

그렇다면 국가는 지리지를 왜 만드는 것일까요? 한 나라를 통치하는 왕은 자기 나라에 대해 잘 알아야만 통치를 제대로 할 수 있습니다. 예를 들면, 각 지방마다 사람은 얼마나 많이 사는지, 논이나 밭은 얼마나 되는지, 특산물온 무엇인지 등에 대해 알아야 각 지방으로부터 세금을 얼마나 걷을 수 있는지 알 수 있고, 이에 근거하여 나라 살림을 할 수 있기 때문입니다. 이러한 이유 때문에 국가에서 발행한 지리지들은 국가가 필요로 하는 지리적 정보들을 주로 다루고 있습니다.

世宗實錄地理誌
世宗實錄地理誌
世宗實錄地理誌
世宗實錄地理誌
世宗實錄地理誌
世宗實錄地理誌
世宗實錄地理誌
世宗實錄地理誌
▲
《세종실록 지리지》
(영인본),
국립중앙도서관 소장

조선시대의 경우, 국가에서 발행한 대표적인 지리지가 바로 《동국여지승람東國與地勝覽》입니다. 이 책은 조선 성종 때(1481년) 양성지, 노사신, 강희맹, 서거정 등이 완성하였습니다. 그리고 이것에다 이행, 홍언필 등이 추가로 내용을 첨부하여 1530년에 다시 펴낸 것을 《신증동국여지승람》이라고 합니다. 이 책은 우리나라 각 지방의 지리적 정보와 지도를 포함하고 있는데, 그 내용을 보면, 연혁, 풍속, 능침, 궁궐, 관부, 학교, 특산물, 효자, 열녀, 성곽, 산천, 누정, 절, 역원, 교량 등을 다루고 있죠. 역대 지리지 중에서 가장 종합적인 내용을 담은 것으로 국가에서 발행한 지리지 중 가장 대표적인 책이라 할 수 있습니다. 《동국여지승람》 외에도 조선시대 관찬지리지로는 《세종실록지리지》가 있는데, 이 책은 세종실록 중에 지리적 정보가 수록되어 있는 부분으로 이후 조선시대 관찬지리지의 모범이 되었던 책입니다.

▲
다방면의 영역을 넘나든 정약용은 지리에도 《아방강역고》라는 큰 업적을 남겨놓았다.

이렇게 조선 전기에는 국가에 의해 만들어진 지리지가 주를 이루었으며, 주로 전국의 모든 지방에 대해 다루고 있습니다. 이에 비해 조선 후기에는 지리지가 주로 한 지방의 양반들이나 개인에 의해 많이 만들어지게 됩니다. 국가에서 만든 지리지가 국가의 필요에 의해 만들어진 만큼 일반 사람들의 흥미와 관심을 만족시키기에는 한계가 있었던 겁니다. 그렇기 때문에 한 지방이나 개인의 필요와 관심에 따라 만들어진 지리지들이 등장하게 됩니다. 이렇게 한 지방의 양반들이 그 지방에 관해 만든 지리지를 '사찬읍지'라고 합니다. 이렇게 사찬읍지가 많이 만들어짐에 따라서 국가에서도 이러한 필요와 관심을 반영하여 전국적인 규모로 각 고을의 지리를 기록한 읍지를 만들게 되는데, 그것이 바로 18세기 영조 때 만들어진 《여지도서輿地圖書》입니다.

그리고 개인에 의해 만들어진 대표적인 지리지가 바로 이중환의 《택리지》입니다. 이중환의 택리지 이후에도 정약용의 《아방강역고我邦疆域考》, 신경준의 《강계지疆界誌》 등이 편찬되었습니다. 이 지리지들은 주로 우리나라 역사에

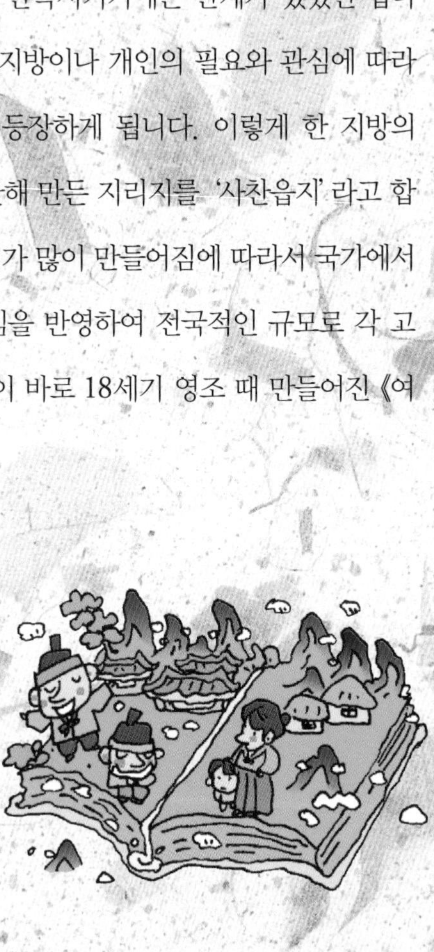

등장하는 각 나라의 영토 범위에 대해 다루고 있습니다. 이러한 지리지들의 편찬은 조선 후기 우리나라 영토에 대한 관심이 증가했음을 말해주고 있습니다.

어떤 시대이건 간에 그 시대 사람들의 지리적 관심과 필요성에 따라 지리지가 만들어졌듯이 앞으로도 지리지는 새로운 내용, 새로운 형식으로 계속 만들어지리라 생각됩니다.

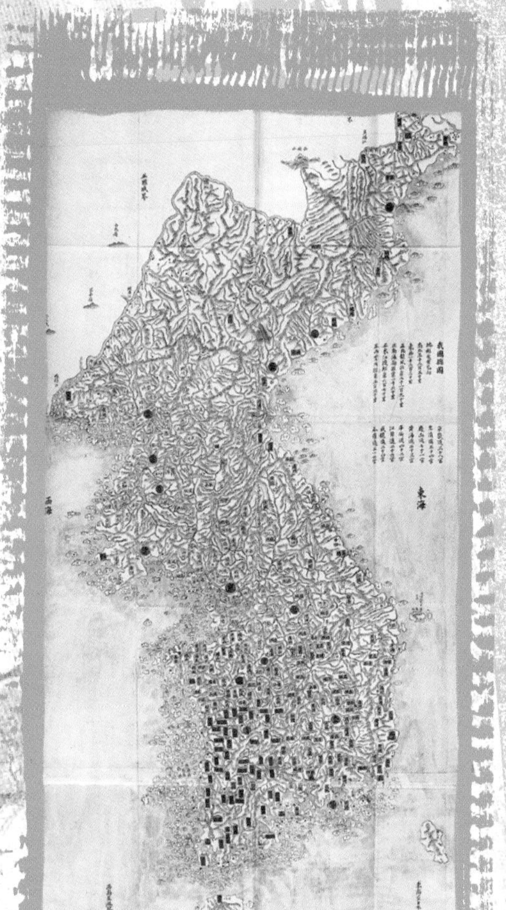

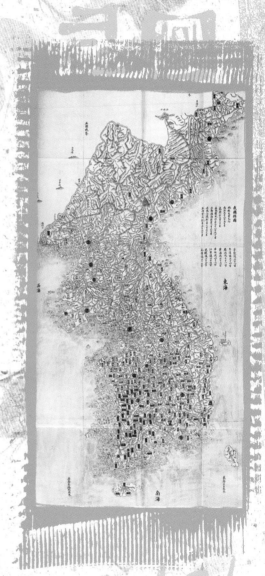

▲
〈아국총도〉.
18세기 말 조선 후기 지리에 대한 관심은 보다 정확한 지도의 출현을 낳았다.

제2장
이중환이란 사람은 누구일까?
《택리지》란 책을 제대로 이해하려면 책을 쓴 이중환에 대해 알아야겠지?
나?
여러분이 쓰는 일기에 여러분이 그날 느꼈던 감정이나 생각이 나타나 있는 것처럼, 책에도 그 책을 쓴 사람의 의도와 생각이 나타나게 마련이야.
그럼 방학숙제 일기 검사를 하겠어요.
그런데 그러한 의도와 생각은 쉽게 이해되지 않는 경우도 많아.
뭐야, 이게!
와
오늘은 놀았다 -끝-
이럴 경우에는 책을 쓴 사람을 이해하면 도움이 되는 경우도 많지.
△□× 나와
쿨쿨
다시 해.
그러면 《택리지》란 책을 제대로 소화해서 진정한 여러분의 것으로 만들 수 있을 거야.
귀찮아~
하암

이중환은 조선 시대 후기에 살았던 사람이고, 여주 이씨 가문 출신이지.
여주 李씨
이중환을 이해하려면 일단 그 사람이 살았던 시대에 대해 아는 것이 도움이 될 거야!
아무리 뛰어난 사람도 그 시대의 상황에 영향을 받을 수밖에 없으니까.
젠장! 내가 돌겠네.
지구는 돌지 않습니다.
갈릴레오 갈릴레이
1564~1642
여러분이 조선 시대에 태어났다면 지금과는 전혀 다른 삶을 살고 있었겠지. 아마도 어떤 친구들은 서당에 다니면서 하늘 천, 땅 지를 외우고 있겠지만, 어떤 친구들은 주인집 도련님 따라 서당 밖에서 놀고 있을지도 모를 일이야.
쯧쯧
와
와
조선 시대와 현대의 가장 큰 차이점은 조선 시대는 나라의 주인이 왕이었다면,
에헴
와아
왕이시여
현대 대한민국은 그 주인이 국민이라는 것이지.
모두의 것
우리 거지
지금은 모든 국민이 평등하지만 조선 시대에는 왕을 중심으로 신분이 나뉘어 있었어.
양반
중인
평민
천민
이중환은 양반이었지?
이때 양반이란 관직에 오른 사람을 이야기하지만 나중에는 관직에 진출할 수 있는 신분을 뜻했어. 즉 과거 시험을 칠 수 있는 자격을 가진 사람이라고나 할까.
시험자격증
나 양반
난 천민

그렇기 때문에 양반의 가장 큰 목표는 학문을 열심히 해서 과거 시험에 합격하는 거야.
합격증
그런 후 왕을 모시는 관리가 되어 백성을 잘 다스리는 것이었지.
마마 최고!
이때 왕을 잘 모시고 백성을 잘 다스리는 방법에 대해서는 사람마다 차이가 나게 마련이야.
예를 들면 중국의 공자와 같은 사람은 백성을 덕(德)으로 다스려야 한다고 말할 테고, 한비자와 같은 사람은 백성이란 힘과 법으로 다스려야 한다고 말할 테지.
덕으로 다스려야 해요~
힘과 법으로 다스려야 돼요~.
공자
한비자
이렇게 정치적 견해는 사람마다 차이가 날 수도 있고 비슷할 수도 있어.
하하
흥!
이때 정치적 견해가 같은 사람들끼리 모여서 하나의 집단인 붕당이란 것을 만들지.
붕당
오늘날로 얘기하면 정당과 비슷한 것이라고 생각하면 될 거야.
오~ 양복
정당은 나라의 주인인 국민을 위한 여러 가지 정책을 제시하려고 노력을 해.
의료
복지
경제
교육
정책
주거
그러한 정책이 국민들로부터 인정을 받게 되면
국민이 바로 그 정당 출신의 대통령과 국회의원을 선출하여 나라를 다스릴 기회를 주지.
기표소
조선 시대 나라의 주인은 바로 왕이기 때문에 붕당은 왕에게 잘 보이고자 노력하게 돼.
성은이 망극하여이다~
하

그런데 관직의 숫자는 적고 벼슬을 원하는 사람은 많다보니 경쟁이 치열할 수밖에 없었지.
내놔
내꺼야
관직
이에 기회만 있으면 다른 붕당의 사람들을 헐뜯고, 쫓아내 버리려고 하였어.
관직
꺼져
빵
쫓겨난 붕당의 사람들은 복수의 칼날을 갈면서 때를 기다리지.
내 자리당
두고 보자
그리고 기회가 오면 똑같은 일을 반복하게 되고.
꺼져
관직
으악
빵
이렇게 붕당정치로 인해 나라가 혼란스럽던 시기가 바로 조선 후기인데, 이중환이 살았던 때도 바로 이러한 시기였어.
힝~
이 시대에는 붕당이 노론, 소론, 북인, 남인으로 갈려 있었는데, 이를 사색당파라고 하지.
북인
노론
사색당파
남인
소론
이 네 개의 붕당 중에서 이중환 가문이 속해 있었던 남인은 정치적으로 어려움에 처해 있었어.
북인
노론
사색당파
뚝
남인
소론
이때 권력투쟁에서 패배한 일부 남인들은 고향으로 돌아가 학문과 교육에 전념하기도 했었지.
그렇기 때문에 남인들은 조선의 현실에 대한 비판의식이 강할 수밖에 없었고, 그 당시로서는 광범위한 개혁론을 주장하기도 했는데,
쯧쯧!
저런 걸 정치라고.
썩을 대로 썩었어.
그 대표적인 사람들이 유형원, 이익 등과 같은 실학자들이야.
이익
1681~1763
유형원
1622~1673

이중환은 이러한 시기인 숙종 16년(1690년)에 여주 이씨 가문에서 출생했어.
새근 새근
숙종 16년(1690)
요즈음에는 출생이 중요하지 않지만 조선 시대에는 아무리 능력이 있어도 신분이 낮으면 과거시험조차 볼 수 없었으니까.
과거시험장
썩 물렀거라
아이쿠
뻥
쿵
양반은 과거시험을 통해 관직에 나아갈 기회를 가진 계층이라는 뜻도 되지.
관직
이중환에 관한 기록은 《조선왕조실록》과 《국조방목》, 성호 이익의 문집 정도에 불과해서
에게
너무 적어.
그가 태어난 곳도 명확히 알려져 있지 않아.
여긴 어디?
난 누구?
하지만 《택리지》에서 공주에 있는 사송정이 '우리집'이란 표현을 썼기 때문에, 공주 금강 근처로 추정하고 있어.
금강
공주
여주 이씨는 대대로 조상들이 관직에 진출한 명문 집안에 속했지.
李
이중환의 아버지인 이진휴도 관직에 있었으니까 말이야.
이중환 아버지
그러니까 이중환의 어릴 적 생활은 '좋은 집안에서 태어나서 관리가 되기 위해 공부를 열심히 하고, 거기에다 머리도 똘똘해서 촉망받는 젊은이였다.' 라고 생각하면 될 것 같아.
이중환의 어린 시절은 말 그대로 순탄한 인생이었던 거지.
부우웅

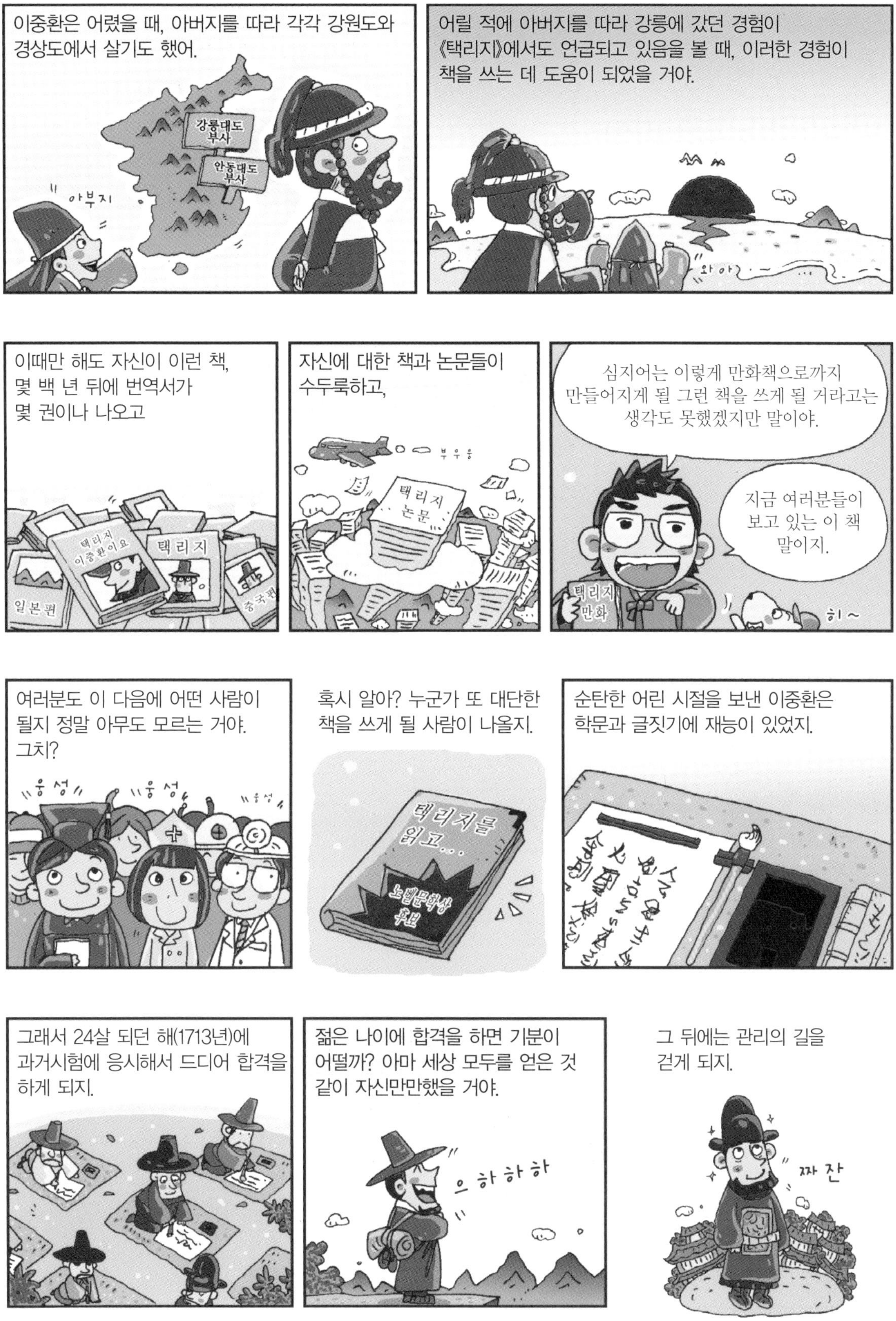
이중환은 어렸을 때, 아버지를 따라 각각 강원도와 경상도에서 살기도 했어.
강릉대도 부사
안동대도 부사
아부지
어릴 적에 아버지를 따라 강릉에 갔던 경험이 《택리지》에서도 언급되고 있음을 볼 때, 이러한 경험이 책을 쓰는 데 도움이 되었을 거야.
와아
이때만 해도 자신이 이런 책, 몇 백 년 뒤에 번역서가 몇 권이나 나오고
택리지 이중환이요
택리지
일본편
중국편
자신에 대한 책과 논문들이 수두룩하고,
부우웅
택리지 논문
심지어는 이렇게 만화책으로까지 만들어지게 될 그런 책을 쓰게 될 거라고는 생각도 못했겠지만 말이야.
지금 여러분들이 보고 있는 이 책 말이지.
택리지 만화
히~
여러분도 이 다음에 어떤 사람이 될지 정말 아무도 모르는 거야. 그치?
웅성
웅성
웅성
혹시 알아? 누군가 또 대단한 책을 쓰게 될 사람이 나올지.
택리지를 읽고...
노벨문학상 후보
순탄한 어린 시절을 보낸 이중환은 학문과 글짓기에 재능이 있었지.
그래서 24살 되던 해(1713년)에 과거시험에 응시해서 드디어 합격을 하게 되지.
젊은 나이에 합격을 하면 기분이 어떨까? 아마 세상 모두를 얻은 것 같이 자신만만했을 거야.
으하하하
그 뒤에는 관리의 길을 걷게 되지.
짜잔

그러한 관직 생활 중에는 김천 도찰방으로서 근무한 적이 있어.
이력서
이름: 이중환
학력: 과거급제
김천 도찰방
도찰방이란 국가의 공문서 전달에 필요한 말을 관리하던 역참의 책임자라 할 수 있지.
어명이오~
부우웅~
말을 관리하는 책임자라니까 별 것 아닌 일이라고 생각되지?
푸힝~
오늘날로 말하자면 한 지역의 교통이나 통신을 담당한 책임자라고 볼 수 있지.
이중환이 우리나라의 주요 교통과 국방에 대해 상당한 지식을 쌓은 것도 이때의 경험이 도움이 된 것 같아.
이후 여러 관직을 거쳐서 후에 정5품의 병조정랑 직위에까지 오르게 되지.
정 5 품
관직에 오른 후 이중환도 결혼을 하게 되는데.
히~
여러분도 들어 봤을 테지만 옛날의 결혼은 개인과 개인의 결혼이 아니라 집안과 집안의 결혼이야.
그렇기 때문에 결혼식에서 신랑, 신부가 처음 서로의 얼굴을 보는 경우도 있었어.
으엑! 못생겼다
만약 여러분이 이런 경우를 당한다면 결혼하는 사람은 난데, 왜 부모님 마음에 들어야 하는지 정말 갑갑할 거야.
난 이 결혼 반댈세
흑
아빠
곰이랑 결혼을…
하지만 조선 시대엔 대부분 그러했어. 이중환이 결혼한 집안은 사천 목씨 집안이야.
사천목씨
사천 목씨와 여주 이씨는 둘 다 남인에 속해 있어서 서로 가깝게 지냈지.
하하
호호
사천목씨
여주 이씨
남인

실제로 이중환은 숙종 42년(1716년에) 묘로 쓸 자리를 보러 지관 출신인 목호룡을 비롯한 몇몇 사람들과 경기도, 황해도의 여러 지역을 여행하기도 했었어.
지관이란 묘를 쓸 자리를 보는 사람인데,
최고의 묏자리!
오늘날에도 묏자리를 고를 때 이 사람들이 많은 영향력을 행사하곤 하지.
묏자리가 안좋아
그러니 망한지
그래야 후손들이 잘 된다고 해. 믿거나 말거나 말이지.
좋구나!
명당
이중환은 이 묏자리를 보기 위해서만이 아니라 평소에도 목호룡과 친분 관계가 있었던 것 같아.
우린친구
하하
하하
후에 이러한 친분 때문에 큰 어려움을 겪게 되지.
목호룡이란 사람은 나중에 공신의 지위까지 오른 사람이야.
공신
공신이라고 하면 나라에 공이 많은 사람이란 얘기잖아.
공!
그 공 말고 바보야!
그런데 이 사람이 어떻게 공신이 되었는가 하면,
여보세요 경찰서죠?
자신과 반대되는 세력들인 노론을 역적으로 신고하여 제거하지.
신고할 게 있는데…
노론
이 일로 많은 노론 사람들이 죽고, 170여 명이 처벌되었는데,
노론
노론
노론
이때 목호룡을 부추긴 사람들이 노론과 경쟁관계에 있던 소론이었어.
그래서 말인데
소론

이때 노론들은 경종의 후계자인 왕세제(후에 영조)를 옹호하고 있었어.
노론
영조
노론
왕세제의 입장에서는 자신을 도와준 노론을 제거시킨 목호룡에 대해 감정이 좋지 않았을 거야.
저놈을….
뜨끔
그런데 문제는 이 목호룡의 신고가 거짓이었다는 거야.
목호룡 두고봐라.
억울해
참 정치세계가 살벌하지. 거짓말로 다른 사람들을 죽음에까지 이르게 하니까 말이야.
슈우욱
거짓말
으아악
경종은 이 사건을 다시 조사하라고 명을 내렸는데, 그 와중에 사망을 하지.
다시 조사를….
쿨럭
훅훅
드디어 경종의 뒤를 이어 영조가 즉위하게 돼.
바톤 터치
왕권
경종
영조
영조는 자신을 옹호하던 노론을 제거한 목호룡이 괘씸했을 거야.
이런 뒤질랜드
쿠오오오
사…살려주삼
그래서 목호룡의 죄를 다시 조사하도록 하였고, 그 결과 목호룡의 신고가 거짓으로 밝혀져 대역 무도죄로 처형되었어.
죄목이 대역 무도죄이니 이름도 무섭지.
그런데 이 사건이 목호룡만 처형되는 데서 끝난 것이 아니라 목호룡과 관계가 있던 사람들이 모두 불려가 조사를 받게 되었지.
이중환도 예외가 아니어서 체포가 되어 네 차례의 취조를 당하게 되었어.
크윽
이때 이중환의 혐의는 목호룡과 같이 이 사건에 가담했다는 것이었어.
죄를 고하라
난 무죄요!

오늘날에는 범죄를 조사할 때
과학적인 수사를 통해 모은 증거를
가지고 죄를 묻지?
과학수사대
과학수
조선 시대에는 그렇지 않았어.
그 당시에는 자백을 해도 죄가
성립이 되는데,
자백
유죄
그 자백이란 것이 말 그대로 죄를
인정하여 순순히 답하도록 만드는
것이 아니라
골라
곤장100
주리
자백
고문을 가해서 자백을 받아 내는
것이야.
크아악
매에는 장사가 없다고 심한 고문을
당하면 없는 죄도 있는 것처럼
얘기할 수밖에 없어.
나… 는….
하지만 이중환은 혹독한 고문
속에서도 끝까지 그러한 사건을
꾸미지 않았다고 부인하지.
무죄다!
뿌득
결국 증거도 없고, 자백을 받아내지도
못했기 때문에 사형은 면할 수 있었어.
휴~
칫!
대신 먼 섬으로 유배를
가게 되는데 이때 이중환의 나이
37세였어.
촤악
그후 38세가 되던 해에 소론이
다시금 집권하면서 이중환의 유배가
잠시 풀리기도 했지만
사면증
자유닷
만세
사헌부가 이것이 부당하다고 주장하면서
다시 유배를 가게 되었는데,
취소요!
흑
부욱
덜덜덜
그 뒤로 약 30여 년간을 유배와 유랑으로 전국을 떠돌게 되지.

이중환이 유배를 간 이후 약 30여 년 동안의 생활에 대해서는 거의 알려진 바가 없어.
미스테리 30년
언제 유배가 풀렸는지, 그리고 유배가 풀린 후에는 어떻게 살았는지에 대해서도 말이야.
다만 단편적인 기록들을 통해 그 당시의 상황을 짐작해 볼 뿐이야.
음….
그러면 그 시기 동안 이중환은 무엇을 보고, 느꼈을까?
음~
자신이 중앙에서 벼슬을 하는 동안에는
음~
펄럭
백성들의 삶을 직접 체험해 볼 기회가 별로 없었을 거야.
인생은 아름다워
하지만 중앙 정계에서 밀려나 전국을 떠돌아 다니게 되면서
나가
어쿠
백성들이 살아가는 모습을 자세하게 볼 수 있었겠지.

백성들의 모습을 보고 이중환은 느낀 게 많았을 거야.
찌잉!
그러면서 자연스럽게 18세기 조선의 문제점에 대해서도 깨닫게 되었을 거고
정치
경제
산업
18세기 문제점
그러한 문제점들을 해결할 만한 개선책들에 대한 고민도 했을 거야.
으~ 바뀌어야 해~
산업
경제
18세기 문제점
정치
아마 유배가 풀려 중앙 정계로 복귀하게 되면
음냐 음냐
자신의 개선책을 시도해 보겠노라 마음을 먹었을지도 몰라.
와
와
하지만 불행하게도 이중환은 벼슬길에 다시는 나아가지 못했어.
아~ 꿈이었구나~
실제로 영조가 붕당의 구별없이 사람을 등용하는 탕평책을 실시할 때
탕평책
와
좋아
많은 사람들이 다시 정계에 진출했지만
정계
우글 우글
이중환은 예외였어.
이 친구는 워낙 큰 사건에 관련이 있어서….
이중환
짝~
결국 시간이 지나갈수록
3
4
5
6
17
31
중앙 정치계에 복귀하리란 기대는 사라질 수밖에 없었지.
모두들 복직하시오~ 이중환 빼고!
와
와
와
이 상황에서 이중환이 할 수 있는 일이란 무엇이었을까?
뭐라도 해야 할 텐데…
백수

《택리지》의 서문을 쓴 정언유는 이렇게 말하고 있지.
"삶의 으뜸은 속세를 피하는 것이요 그 다음은 땅을 가려 택하는 것이다. (이중환이) 불행하게도 임금에게 내침을 당해 어려운 처지에 빠진 지 수십 년이 되었다. 살 땅을 찾아 세상을 피하고자 한 것은 당연한 것이 아니겠는가."

또한 이중환 자신도 '사대부가 벼슬을 하지 못하면 돌아갈 곳은 산림뿐이다.' 라고 언급하고 있지.
공기가 맑군….

이러한 언급들로 볼 때 이중환이 택한 방법은 붕당 간의 다툼으로 얼룩진 정치 세계를 떠나
똥이 무서워서 피하냐, 더러워서 피하지….

자연으로 돌아가기 위해 살 곳을 찾은 것이었다고 볼 수 있어.
캬! 경치 좋다

결국 이중환의 오랜 떠돌이 생활은 그가 우리나라의 각 지방을 '살 만한 곳이 어디일까?' 라는 관점에서 살펴볼 수 있는 하나의 기회가 되었던 거야.

오랜 떠돌이 생활로 점차 자신의 생각을 체계화했을 것이고,
음….
자신이 그동안 보고 느낀 것들을 정리할 필요를 느꼈던 것 같아.
아하
정리를 해보자.
짝
이에 《택리지》를 저술하기 시작하지.
질끈!
택리지
이때 가장 많은 영향을 끼친 인물이 바로 성호 이익이야.
나 이익!
히~
성호 이익은 이중환과 재종손 관계였는데, 촌수로 따지면 팔촌 정도 되는 사이야.
팔촌
이중환의 할아버지뻘 되는 사람이었지만,
실제로 나이차는 9살 정도 이익이 많았어.
9살…
이익은 26세 되던 해(1706년) 둘째 형이 붕당 간의 다툼에 휘말려 죽은 이후에,
흑흑
둘째형
벼슬에 뜻을 버리고 학문에만 몰두하게 돼.
관직?
다 부질없는 짓이야~
뻥
그는 조선의 사회경제적 문제점에 대한 많은 고민과 함께 여러 가지 개혁안들을 제시해서
돌진
사회 경제 문제점
개혁안
오늘날 실학을 대표하는 한 사람으로 여겨지고 있어.
개혁안
짜~잔
우르르…

둘 사이는 편지도 자주 교환했고,
휘이이잉~
이익은 이중환이 《택리지》를 저술할 때도 참고할 만한 책들을 보내 주기도 했어.
이익님이 이중환님께 소포 보냈습니다
택배
또한 이익은 《택리지》의 서문과 발문을 써주기도 했고,
슥 슥
이중환의 묘갈명(무덤 앞에 세우는 비석에 죽은 사람에 관한 내용을 기록한 것)을 쓰기도 했기 때문에,
둘 사이는 상당히 가까웠던 것을 알 수 있어.
하하
그 덕분에 이중환도 이익의 영향을 많이 받을 수밖에 없었는데,
이건 이렇게 하는 게 어떨까?
아하 좋은데요
《택리지》에 드러나는
뿅
뿅
뿅
택리지
18세기 조선의 현실에 대한 비판의식과 정치, 경제, 지리에 대한 풍부한 지식은
비판 의식
정치
지리
경제
사회
택리지
바로 실학자인 이익의 영향 때문이라고 볼 수 있을 거야.
둥둥
실학
이중환이 쓴 《택리지》의 발문에 '내가 황산 강가에 있을 때 무료한 여름날 팔괘정에 올라 더위를 식히면서 우연히 쓴 글(택리지)이 있다.' 라는 표현이 나타나는데, 팔괘정의 위치는 오늘날 충남 강경으로 여겨지고 있어.

팔괘정은 이중환이 인생의 말년을 보내던 곳으로 생각되는데,
톡 톡
아이고 허리야~
이곳은 과거에 조선의 3대 시장이라고 할 정도로 교통과 상업의 중심지였던 곳이지.
그러면 《택리지》를 썼다는 무료한 여름날은 언제일까?
택리지
발문의 마지막을 보면 쓴 연도가 1750년으로 되어 있어.
발문은 책의 끝에 대강의 내용을 적는 거야.
-1750
이때 이중환의 나이가 61세였는데, 인생의 막바지에 이르렀던 나이야.
드디어 완성이다.
탁
그 후 이중환은 67세(1756년)에 사망하게 되는데,
67세
이중환
그나마 다행인 것은 64세가 되던 해에 영조의 교지에 의해 명예회복이 되었다는 것이지.
명예 회복 되었습니다. -영조-
세상에 이런 일이….
교지란 왕이 신하에게 관직을 내리던 문서야.
성은이 망극 하옵니다.
결국 《택리지》는 이중환이 인생을 정리하는 마지막 시점에서 쓴 일종의 유언과도 같은 것이라 볼 수 있어.
택리지
그러면 이중환은 왜 죽음을 앞둔 인생의 마지막에 '사대부들이 살 만한 곳'에 관한 《택리지》를 쓰고자 했을까? 혹 다른 의미가 있었던 것은 아닐까?

이중환이 쓴 《택리지》 발문의 첫머리에 보면, 다음과 같은 말로 시작을 해.

옛날에 공자께서 도를 행할 수 없음으로 해서 (중국)노나라 역사를 예로 들어 왕도를 행하면서 선한 것을 칭찬하고 악한 것을 비판했다. 이것은 실제(있었던 일)를 가지고 자신의 뜻을 나타낸 것이다. 장자는 세상에 나서려 하지 않고, 여러 편의 위대한 글을 지어 만물을 질서 정연하게 보고, 오래도록 사는 것과 젊어서 죽는 것을 같이 보며, 평범한 사람과 성인을 같다고 여겼다. 이것은 실제가 아닌 것을 가지고 자신의 뜻을 나타낸 것이다. 실제가 아닌 것과 실제인 것이 비록 다르나, 자신의 뜻을 나타낸 것은 같았다.

좌아아아아…

도대체 이 글이 뜻하는 것은 무엇일까?
택리지
공자는 중국 춘추시대의 사람으로 유교의 창시자야.
아유 내 새끼~
유교
이 글은 공자가 한 때 중국 노나라의 재상으로 있으면서 노나라 역사에 관한 책인 《춘추》를 지었는데,
잘 지어졌군!
춘추
노나라를 다스리는 데 이용하려고 이 책을 썼다는 뜻이지.
허허허
노나라
《춘추》를 바칩니다.
마찬가지로 장자라는 사람은 중국 전국시대의 도가를 대표하는 사상가인데,
도가
공자와는 달리 평생 산골 속에 묻혀 자유롭게 살았던 사람이야.
경치가 좋구나!
그가 쓴 《장자》라는 책은 비유와 우화의 형태로 되어 있는데 이를 통해 자신의 뜻을 나타내고 있다는 것이지.
내 뜻을 펼쳐라!
넵
넵
비유
우화
이것은 결국 공자가 실제 정치 현실에서 자신의 뜻을 나타낸 것이나, 장자가 시골에 묻혀 비유와 우화에 관한 글을 통해 자신의 뜻을 나타낸 것이나 같다는 것이야.
정치를 통해 세상을 바꾼다!
자연의 이치는 어찌 이리 오묘한지…

그러면 이중환은 공자와 장자의 입장 중에서 어느 쪽에 더 가까울까?
음..
VS
젊어서 벼슬길에서 쫓겨나 산림 속에서 살아가는 이중환의 처지는 장자의 입장에 가까울 거야.
장자 승
흑흑
결국 이중환 자신은 공자처럼 실제로 정치에 참여하여 자신의 뜻을 실현할 수는 없었지만,
정치
부러워
산림 속에 묻혀 산 장자처럼 비유와 우화로 되어 있는 글을 지어서 자신의 뜻을 나타내겠다는 것이지.
자신의 뜻
그렇다면 이중환이 《택리지》를 통해서 나타내려 했던 진정한 뜻은 무엇이었을까?
이중환은 《택리지》의 발문에 자신의 생각을 적었어!

이중환의 발문은 다음과 같은 글로 끝을 맺고 있어.

'예악이란 것이 어찌 예물이나 악기만을 말하는 것이겠느냐. 이는 예악의 진정한 뜻을 모르고 형식만 찾는 것을 한탄한 것이다. 나의 글 역시 살 만한 곳을 찾으려 해도 살 곳이 없음을 한탄한 것이니, 넓게 보는 자라면 글자 밖에서 참뜻을 구하는 것이 좋을 것이다. 아! 이것이 실제라면 백성들에게 이익을 골고루 나누어 주는 것이고, 실제가 아닌 것이라면 작은 겨자씨와 크나 큰 수미산과 같다 할 것이니 후세에 반드시 분별하는 자가 있을 것이다.'

택리지

위의 내용은 《택리지》의 진정한 목적이 '사대부가 살 만한 곳'을 찾으려고 쓴 글이 아니라는 말이야.
사대부가 살 만한 곳
자신이 '살 만한 곳'이 없음을 한탄한 것에 대해서 글자에 매달려 생각하지 말고, 그 안에 숨어 있는 뜻을 생각해 보기 바란다고 말하고 있어.
살 만한 곳
숨은 뜻
또한 《택리지》가 공자가 했던 것처럼 실제적으로는 백성들에게 도움이 되었으면 좋겠고,
백성
또 한편으로는 장자가 비유와 우화를 통해 말했던 것처럼 읽는 사람에 따라서 작은 것이 될 수도,
에게
뭐지?
혹은 아주 큰 것이 될 수도 있으니 이를 분별하는 사람이 후세에 있기를 바라는 마음을 담은 것으로 볼 수 있을 것 같아.
펑
악
이중환이 《택리지》를 저술한 표면적인 목적은 사대부가 살 만한 곳을 알아보는 것이지만,
택리지
살 만한 곳은 없다
그가 의도했던 진짜 목적은 '살 만한 곳을 찾을 수 없게 된 조선의 현실에 대한 비판과 그러한 현실이 개선되어 조선이 살기 좋은 나라가 되기를 바라는 애정 어린 마음'이 아닐까 싶어.
살 만한 곳이 되어라
그리고 이러한 자신의 생각을 누군가 후세에 알아주는 사람이 있어서 자신이 못했던 것을 이루어 주기를 바라고 있는 것이지.
《택리지》에 이렇게 깊은 뜻이 있었다니….
여러분 생각은 어때?

조선 시대의 붕당

▲ 유성룡은 남인의 거두지만 임진왜란을 맞아 붕당 간의 화합을 통한 국난극복을 주도한 인물이다.

붕당이란 조선 시대 정치적 견해가 같은 사람들의 집단이라고 말할 수 있습니다. 그리고 이러한 집단들이 서로 정권을 차지하기 위해 다투던 것을 붕당정치라고 하죠. 오늘날로 말하자면 정당과 유사하다고 할 수 있습니다. 다만 조선 시대 붕당의 형성에는 정치적인 견해만이 아니라 학문적 견해의 차이도 큰 영향을 끼쳤습니다.

조선 시대의 붕당의 형성은 16세기 선조 때의 일입니다. 선조가 즉위하면서 훈구파의 탄압을 이겨내고 사림파가 주도세력이 됩니다. 하지만 이 사림파는 점차 시간이 지남에 따라 자기들 간의 경쟁과 대립으로 인해 동인과 서인으로 나뉩니다. 동인과 서인으로 나눠게 된 직접적인 계기는 1575년, 이조 전랑직을 둘러싼 대립에서 비롯되었습니다. 이조 전랑직은 그 지위는 낮지만(정5품) 인사권, 즉 관직을 임

명할 수 있는 권한을 갖고 있는 중요한 직책입니다. 이 직책을 누가 갖느냐에 따라 조정에 자기 편의 사람들을 배치할 수 있었습니다. 그러니 이왕이면 자기랑 친한 사람이 하면 좋을 겁니다. 이에 조정이 김효원과 심의겸을 지지하는 사람으로 각각 나뉘게 되었는데, 김효원이 서울 동쪽에 살았기에 그를 지지하는 사람을 동인東人, 심의겸이 서울 서쪽에 살았기에 그를 지지하는 사람을 서인西人이라고 부르게 되었습니다. 결국 붕당이 형성된 주요 원인이 정치적 견해의 차이라기보다는 한정된 관직을 둘러싼 대립이었다는 것을 알 수 있습니다. 흔히 말하는 밥그릇 싸움인 거죠.

▲
윤증,
〈한국명인초상대감〉,
유봉영당 소장

이 대립에서 동인이 우세하였으나 동인은 다시 서인에 대해 강경하게 대해야 한다는 북인北人과 온건하게 대해야 한다는 남인南人으로 나뉘게 되었습니다. 하지만 임진왜란 후에 남인의 유력자인 유성룡이 일본과의 화의를 주장하였다가 자리에서 물러나자 남인이 몰락하고 북인이 정권을 잡게 되었습니다. 그 후 북인은 다시 대북, 소북으로 갈라졌으나 광해군 때에는 그의 즉위에 공이 큰 대북이 정권을 잡았습니다. 이때 광해군과 대북이 서인과 남인에 대한 탄압을 계속하자 결국 이들은 인조를 앞세워 반정을 일으킵니다. 즉 오늘날로 말하면 쿠데타입니다. 이에 의해 광해군은 쫓겨나고 대북파는 서인에 의해 수십 명이 처형되고, 수백 명이 유배됨으로써 정파로서 소멸하게 됩니다.

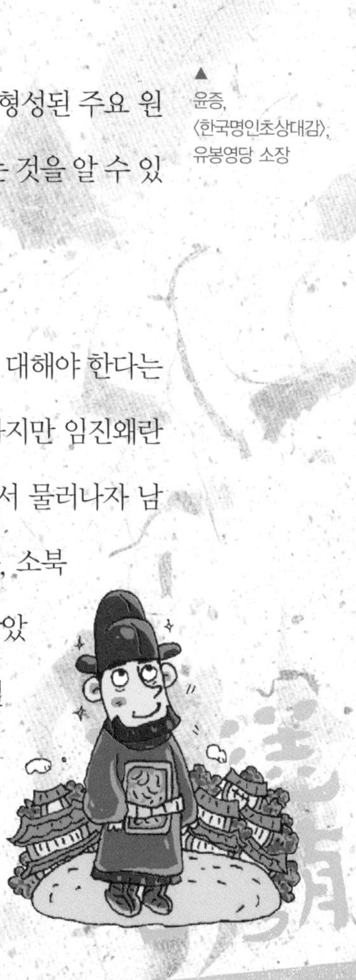

17세기 중반에는 서인이 주도권을 잡은 상태에서 남인과의 경쟁이 격화되기 시작합니다. 이에 경신환국, 기사환국, 갑술환국 세 차례에 걸친 환국의 와중에 서인과 남인은 서로를 숙청하고 제거하는 데 힘을 쏟습니다. 기사환국으로 쫓겨난 서인 세력은 분열이 생겨 송시열을 중심으로 한 노론과 윤증을 중심으로 한 소론으로 갈립니다. 하지만 경술환국으로 다시 정권은 잡은 노론과 소론은 이때 남인을 완전히 제거합니다. 이후 노론과 소론이 대립의 중심을 이루게 됩니다.

▲
〈송시열상〉,
작자 미상,
국보 제239호,
비단 바탕에 채색

이러한 가운데 즉위한 영조는 붕당정치로 인한 혼란을 없애기 위해 각 파에 걸쳐 공평한 인재 등용에 힘쓰게 됩니다. 이를 탕평책蕩平策이라 하는데, 이로 인해 붕당정치가 크게 사라집니다. 영조의 뒤를 이은 정조는 자신의 국정 운영에 부합하는 이가환, 정약용과 같은 남인을 중용합니다. 이에 정조의 정책에 찬성하는 시파와 반대하는 벽파로 새로운 붕당이 형성됩니다. 이후 정조가 죽고 순조가 즉위하였으나 수렴청정을 하던 정순왕후가 천주교 신자 탄압을 빌미로 하여 시파를 모두 숙청하게 됩니다. 그 후 안동 김씨의 김조순이 정권을 잡게 되고 자기 딸을 왕비로 만들면서 안동 김씨에 의한 세도정치가 시작이 됩니다. 그와 함께 붕당은 정치세력으로서 그 의미를 상실하게 되었죠.

이처럼 붕당이라고 하는 것은 조정의 관리들이 정권 획득을 위해 경쟁했던 정치 집단입니다. 하지만 한편으로는 그것이 백성이 아니라 자신의 이익을 위해 싸우던 정치집단이기도 했습니다. 그렇기 때문에 붕당은 한때 조선을 망하게 한 원인으로 비판받기도 했습니다. 하지만 최근에는 붕당정치가 정치세력 간에 더 나은 정치를 하고자 경쟁을 하였고, 그 과정 중에 상호 견제를 함으로써 국정을 건전하게 이끌어가는 역할도 하였다는 사실이 밝혀짐으로써 오늘날 새롭게 그 기능을 주목받고 있기도 합니다.

▲ 영조 51세 때의 모습을 그린 어진(임금의 초상). 사대부 화가 조영석의 작품이며, 지금 남아 있는 어진은 조영석의 원본이 아니라 채용신, 조석진이 그린 모사본이다.

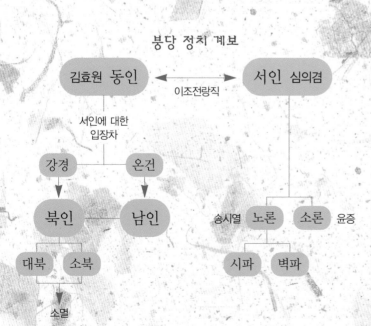

붕당 정치 계보

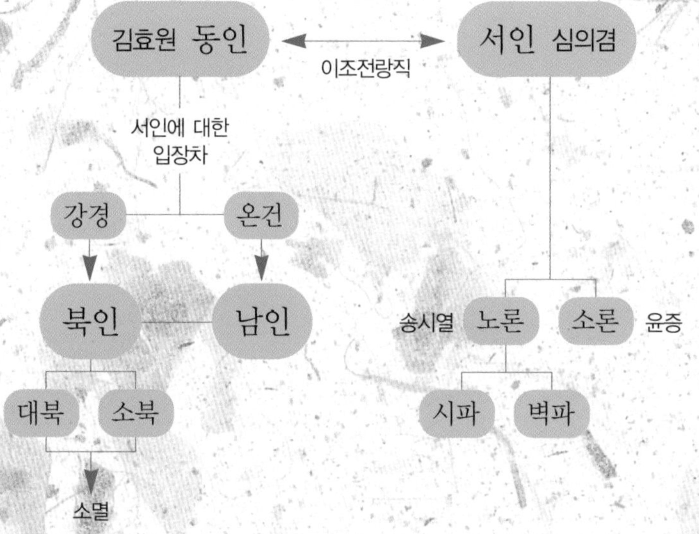
김효원 동인
서인 심의겸
이조전랑직
서인에 대한 입장차
강경
온건
북인
남인
대북
소북
소멸
송시열 노론
소론 윤증
시파
벽파

제3장
사민총론-
조선 시대에는 어떤 사람들이 살았을까?

이중환은 '사람이 살 만한 곳은 어떤 곳인가'에 대해 이야기하기 전에 조선 시대의 신분제도에 대해 말하고 있어.
조선 시대의 신분 제도
사람이 살 만한 곳

왜냐하면 어떤 사람이냐에 따라서 살 만한 곳이 전혀 달라지거든.
여기가 어디냐?
?
영화 찍나?

농민에게는 농사 잘 되는 비옥한 땅을 갖춘 곳이 가장 살 만한 곳일 테고,
올해도 풍년이네~

상인의 경우에는 사람들이 많이 모이는 곳이 좋은 곳이기 때문이지.
손님이 없어….
휘이이잉

여러분은 어때?
시… 시험이 없는 곳으로….
필승

이중환의 경우에는 자신이 양반, 그 중에서도 사대부 출신이었기 때문에 사대부들이 살기에 좋은 곳에 대해 이야기하고자 했어.
좋구나~
요즈음에야 누구나 책을 쉽게 접하지만
조선 시대에는 그렇지 못했기 때문에
양반만 볼 수 있지롱~
이중환도 책을 읽을 만한 사람들인 양반, 혹은 사대부를 대상으로 글을 쓸 수밖에 없었겠지?
사대부
그러니까 우리도 조선 시대의 신분제도에 대해 잠깐 알아볼까?
신분 제도
조선 시대는 앞에서도 이야기했듯이 신분제 사회였어.
에헴~
즉 신분에 높고 낮음이 있다는 것이지.
길을 비켜라
사실 인류가 역사를 기록하기 시작한 이후 신분제도가 없어진 건 비교적 최근의 일이야.
약 100년!
1894년 갑오개혁
2000년
오히려 신분제도가 있는 것이 훨씬 자연스럽다고 말할 수 있을 정도야.
왜냐하면 우리나라만 보더라도 신분제도가 사라진 것이 갑오개혁 때 있었던 일이니까.
갑오개혁
(1894)
이제 100여 년이 좀 넘은 정도이지.
갑오개혁
100

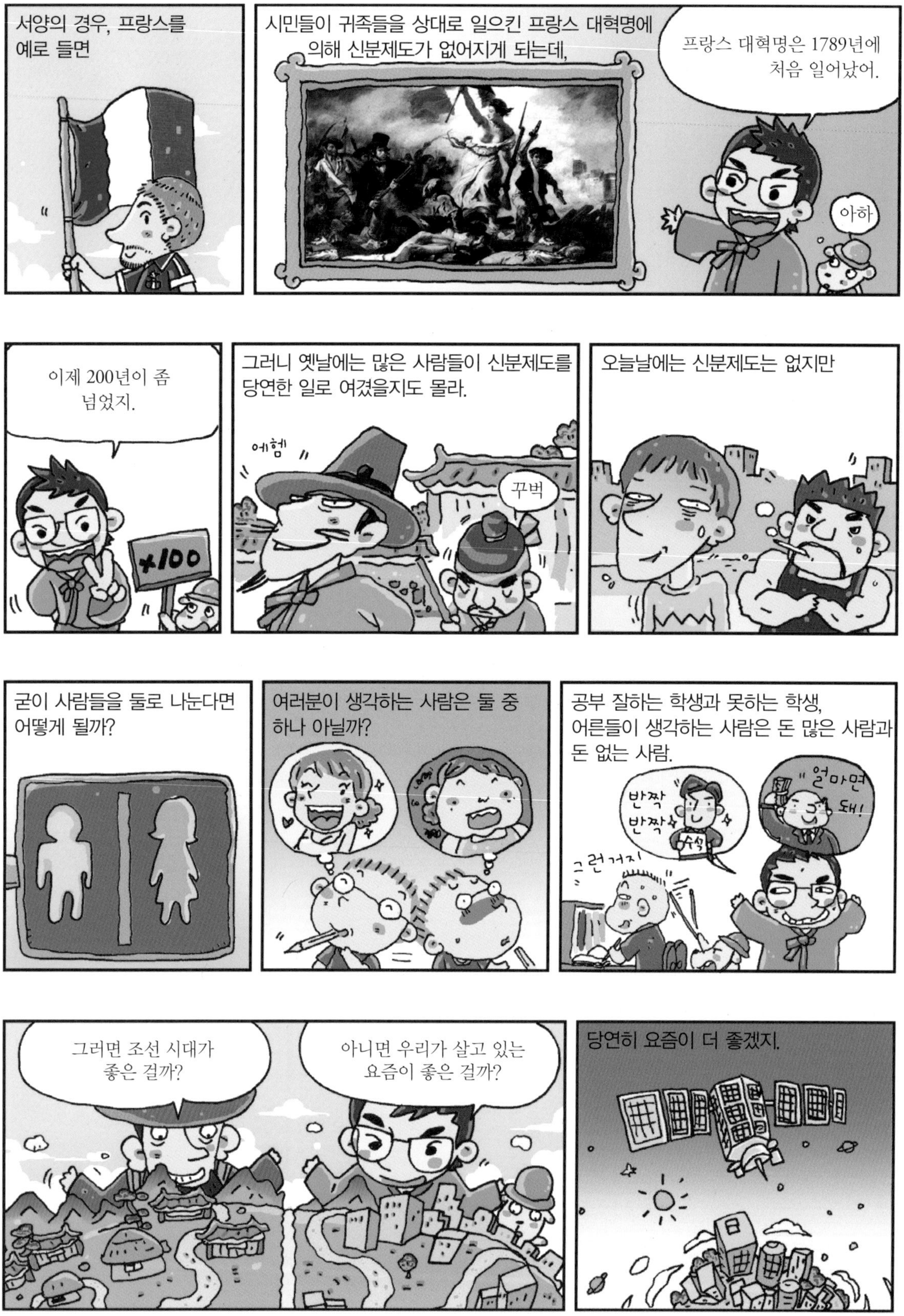
서양의 경우, 프랑스를
예로 들면
시민들이 귀족들을 상대로 일으킨 프랑스 대혁명에
의해 신분제도가 없어지게 되는데,
프랑스 대혁명은 1789년에
처음 일어났어.
아하
이제 200년이 좀
넘었지.
×100
그러니 옛날에는 많은 사람들이 신분제도를
당연한 일로 여겼을지도 몰라.
에헴
꾸벅
오늘날에는 신분제도는 없지만
굳이 사람들을 둘로 나눈다면
어떻게 될까?
여러분이 생각하는 사람은 둘 중
하나 아닐까?
공부 잘하는 학생과 못하는 학생,
어른들이 생각하는 사람은 돈 많은 사람과
돈 없는 사람.
반짝
반짝
수석
그런거지
얼마면
돼!
그러면 조선 시대가
좋은 걸까?
아니면 우리가 살고 있는
요즘이 좋은 걸까?
당연히 요즘이 더 좋겠지.

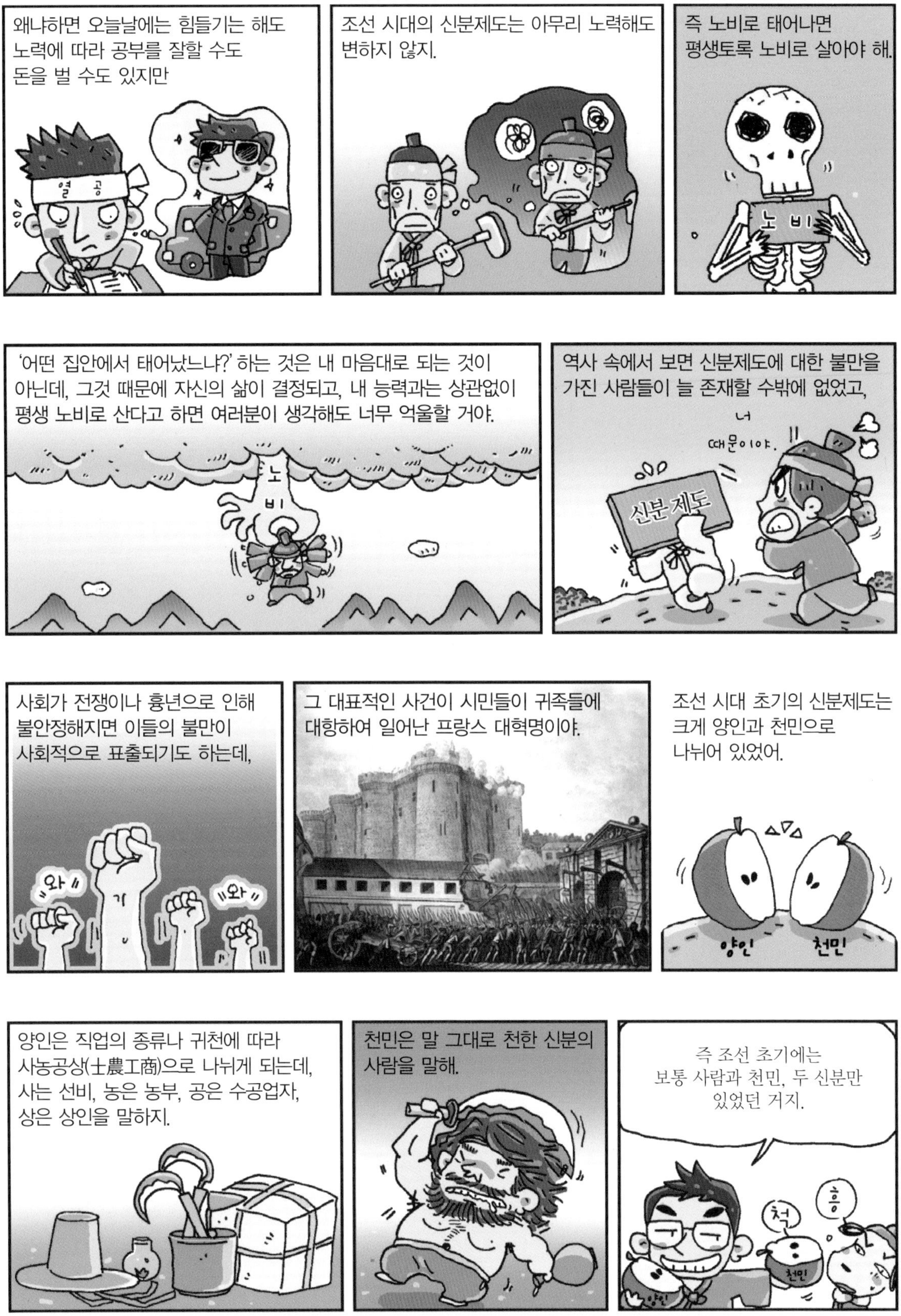
왜냐하면 오늘날에는 힘들기는 해도
노력에 따라 공부를 잘할 수도
돈을 벌 수도 있지만
열공
조선 시대의 신분제도는 아무리 노력해도
변하지 않지.
즉 노비로 태어나면
평생토록 노비로 살아야 해.
노비
'어떤 집안에서 태어났느냐?' 하는 것은 내 마음대로 되는 것이
아닌데, 그것 때문에 자신의 삶이 결정되고, 내 능력과는 상관없이
평생 노비로 산다고 하면 여러분이 생각해도 너무 억울할 거야.
노비
역사 속에서 보면 신분제도에 대한 불만을
가진 사람들이 늘 존재할 수밖에 없었고,
너
때문이야.
신분제도
사회가 전쟁이나 흉년으로 인해
불안정해지면 이들의 불만이
사회적으로 표출되기도 하는데,
와
와
그 대표적인 사건이 시민들이 귀족들에
대항하여 일어난 프랑스 대혁명이야.
조선 시대 초기의 신분제도는
크게 양인과 천민으로
나뉘어 있었어.
양인
천민
양인은 직업의 종류나 귀천에 따라
사농공상(士農工商)으로 나뉘게 되는데,
사는 선비, 농은 농부, 공은 수공업자,
상은 상인을 말하지.
천민은 말 그대로 천한 신분의
사람을 말해.
즉 조선 초기에는
보통 사람과 천민, 두 신분만
있었던 거지.
척
흥
천민
양인

그런데 이러한 신분이 점점 세분화되어서
나중에는 양반, 중인, 상민, 천민으로 나뉘게 돼.

양반
중인
천민
상민

양반이란 원래 공부를 열심히 해서 문과시험에 합격하는 '동반'과 무술을 연마해서 무과시험에 합격하는 '서반'을 함께 부르던 말이었어.

동반
서반

그런데 왜 동반과 서반일까? 그 이유는 왕이 회의를 열 때 동반은 동쪽에, 서반은 서쪽에 있었기 때문이지.

좌청룡
크앙
우백호

결국 양반이란 '벼슬을 하는 사람'을 통틀어 부르는 말이라고 볼 수 있어.

동반 + 서반 = 양반

이러던 것이 나중에는 벼슬을 하는 사람만이 아니라 '벼슬을 할 수 있는 사람'을 뜻하게 되었어.

이 양반아!

왜냐하면 관직의 수는 정해져 있었는데, 관직을 희망하는 사람들의 숫자가 점점 늘어나게 되었거든.

과거시험 경쟁률 최고
3수탈출
과거필승

아버지가 양반인데, 아들이 벼슬을 하지 못했다고 해서 양반이 아니라고 말하기 어렵게 된 거지.

에헴
으헤헴

결국 그 아들도 아직 관직에 진출하지는 못했지만 그냥 양반이라고 부르게 된 거야.

어이구 내새끼
아부지

그러다 보니 양반이란 것이 이제 벼슬을 할 수 있는 사람이란 뜻으로 바뀌게 되었어.

벼슬
양반

즉 관리 지망생인 거지.

관리 지망생

그리고 의관(의사), 화원(화가), 역관(통역)과 같은 하급관리나 기술직, 그리고 지방의 아전들은 별도로 중인 신분을 이루게 되었어.
中
콩
콩
그리고 대체로 서얼 출신들도 이 신분에 속한 것으로 여겨져.
서얼?
그게 뭐야
서얼이란 아버지는 양반인데 어머니가 상민이나 천민 출신의 첩인 경우에 해당이 돼.
여러분이 잘 아는 사람 중에도 서얼이 한 명이 있어. 누구일까? 맞아! 홍길동이야.
홍길동은 조선 시대 허균이 지은 소설 《홍길동전》에 나오는 주인공인데,
비록 소설 속의 주인공이기는 하지만 실제로 조선 시대에 존재했던 인물이었다고 해.
…
홍길동의 경우 아버지를 아버지라 부르지 못하고, 형을 형이라 부르지 못하지.
아버….
어허 이놈이….
왜냐하면 아버지와 형은 양반인데 홍길동은 첩의 자식인 서얼이었거든.
서얼
흑흑
즉 양반보다 신분이 낮은 중인으로 볼 수 있지.
양 반
중 인
상 민
천 민
그렇기 때문에 아무리 똑똑해도 과거를 보지 못하는 경우가 많았어.
흑흑
과거 시험장
그외 농업, 상업, 수공업에 종사하는 사람들은 상민이 되고,
농업
상업
수공업
상 민
노비, 광대, 무당과 같은 사람들은 천민이 된 것이지. 물론 다수를 차지하는 사람들은 상민이었어.
양인
중 인
상 민
천민

그런데 조선 말기에 이르면
신분제도가 많이 혼란스러워져.
신분제도
양반의 경우도 농민과 다름없이 몰락한 사람이 생기는가 하면,
농민 중에서도 양반과 결혼하거나, 불법적인 방법으로
양반이 되는 사람들이 생겨났어.
바꿉시다!
족보 위조가
대표적인 예야….
또한 노비들도 도망, 전쟁 참가, 또는 국가에
곡식을 바치거나 하여 상민이 되는 사람들이
늘어났지.
결국 1801년에 관청에 소속된
노비가, 1894년에는 개인 소유의
노비까지 해방이 됨으로써
신분제도가 폐지되지.
1801년
1894년
그 덕분에 우리 모두가
지금 평등하게 살 수 있게
된 거야.
평등
이중환의 《택리지》에서는 신분을
네 가지로 나누어서 언급하고 있어.
사
농
공
상
이때 선비로서 높은 벼슬을 한 사람을 사대부라고 부르며,
비록 벼슬이 없더라도 자신을 수양하고 법도에 따라 생활하면
사대부라고 부를 수 있다고 말하고 있지.
사대부
그런데, 특이하게도 천민에
대해서는 아예 언급조차 하고
있지 않아.
헤~
…
천민
앞에서 이 책이 '사람이 살
만한 곳을 고르는 것'과 관련된
책이라는 말을 했을 거야.
N
S
그런데 천민이란 자신의 의지대로 살 만한
곳을 고를 수 없는 신분이었기 때문에
대상에서 제외했던 것 같아.
천
민

이중환은 사농공상이 원래는 다같은 백성이라고 얘기해.
백성
귀한 신분과 천한 신분이 따로 없다는 거지.
귀
천
다만 하는 일에 따라서 신분이 나누어졌다는 것이야.
일
사
농
공
상
그러면서 '아무리 선비라고 하더라도 벼슬을 하지 않으면 농, 공, 상이 되는 것이 당연한 일이며, 어찌 차별이 있겠는가?' 라고 묻고 있지.
농사나 지어야겠군.
과거 불합격
농사는 아무나 하나?
바로 이 점이 이중환에 대해 높게 평가하는 이유 중의 하나야.
택리지
이러한 평등사상은 신분제 사회인 조선 시대에서는 상당히 진보적인 생각이라고 할 수 있는데,
사실 이것은 이중환 개인의 생각이라기보다는 신분제도의 불합리성을 지적했던 조선 후기 실학자의 공통된 견해로 볼 수 있어.
실 학
성호 이익은 그의 책 《성호사설》에서 실제로 노비를 점차적으로 해방시킬 것과
노비
와
노비
와
노비
성호사설
양반도 산업에 종사해야 한다고 주장하고 있지.
또한 조선 후기 실학자인 연암 박지원도 이와 비슷한 생각을 했어.
《허생전》 알지?

그의 소설 《허생전》에 보면, 허생이 공부에만 신경을 쓰다가 먹고 살기도 힘들 정도로 가난하게 사는 내용이 나와.
꼬르륵
결국 가난을 견디지 못하고 선비임에도 장사를 하여 큰 돈을 벌게 되지.
벌떡
돈을 벌어야겠군!
휙
이 허생처럼 선비가 밥을 굶으면서도 체면에 얽매여 일을 하지 않는 것은 잘못이며
이 화상아
오히려 직업을 갖는 것이 당연하다는 게 그 당시 실학자들의 견해였어.
직업에는 귀천이 없다는 말 알지?
미화
이처럼 원래 신분의 귀함과 천함이 차이가 없었다면, 도대체 신분의 차별은 어떻게 나타난 것일까?
귀천
펑!!
이에 대해 이중환은 귀천의 차별이 없던 신분제도가 점차 굳어져서
신분제도
사대부는 농, 공, 상의 일을 할 수 있는데,
와락
농, 공, 상은 사대부 일을 못하니 사대부가 더 귀하게 되었다고 말하고 있어.
먹고 살기도 바쁜데….
공부는 무슨….
콩
즉 한 가지 일만 할 줄 아는 사람보다는 팔방미인이 현실적으로 더 대접받는다는 말이겠지?
나는야 멀티플레이어~

이렇게 해서 현실적으로 사대부가 귀한 존재가 되기는 했지만
번쩍 번쩍
사대부
진짜 이유는 사대부가 옛 성인의 법을 잘 지키고 행실을 닦았기 때문이므로,
농부를 비롯한 다른 사람들도 사대부와 같이 행실을 닦는 것이 마땅하다고 얘기하고 있어.
행실
슥 슥
다만 성인의 법을 지키고, 행실을 닦기 위해서는 예를 갖추어야 하고,
만수무강 하십시오~
오냐
이러한 예는 살림살이에서 나오므로 경제생활이 넉넉해야 한다고 말하고 있어.
이 말은 요즘 흔히들 말하는 것처럼 먹고 살 만해야 예의를 차린다는 말과 비슷한 것이라고 보면 될 것 같아.
헤롱헤롱
돈 줘요 돈….
헤롱 헤롱
그렇기 때문에 사대부는 집을 짓고 직업을 마련하여 살림을 넉넉히 해야 해.
사대부
그런 후에 관혼상제의 예로써 부모를 섬기고, 아래로는 처자를 거느리며, 가문을 유지할 방도를 세워야 하는데, 그러기 위해 사대부는 자신이 거처할 곳을 잘 골라야만 한다는 것이지.
음… 어느 곳으로 할까….
그러면 어떻게 살 만한 곳을 잘 고를 수 있을까?
그러기 위해서는 맨 먼저 우리나라 각 지방 곳곳을 알아야 하고, 그런 후에는 어떤 곳이 살기에 좋은 곳인지 살펴 봐야 하겠지?
그러면 이제 조선 시대 우리나라 각 지방 곳곳에 대해 한번 살펴볼까?

신분제도의 역사

▲
최치원. 6두품 출신의 그는 신라의 신분제로 인한 현실 정치에 가로막혀 자신의 뜻을 이루지 못한 것으로 전해진다.

신분제도란 어떤 사회 내에서 가문, 혈통, 직업 등에 따라서 사회적 평가나 대우가 달라지도록 계층을 정해놓은 것을 말합니다. 일반적으로 출신에 따라 계층을 정해놓은 것을 말하죠. 신분제도의 가장 큰 특징은 태어날 때부터 정해져 있다는 것입니다. 반면에 한 사회 내에서 처한 물질적, 경제적 상황에 따라 나뉘는 것을 계급이라고 합니다.

그렇다면 이러한 신분제도가 생겨난 이유는 무엇일까요? 고대에 사회가 복잡해지게 되면서 중요 업무를 담당하는 사람들(관리, 사제, 전사 등)이 지배계층으로 등장을 하게 됩니다. 그리고 대다수의 사람들은 그저 평민으로 남아 있게 된 거죠. 이들은 전쟁을 통해 다른 사람들을 정복함으로써, 혹은 빚을 갚지 못한 사람, 죄를 진 사람들을 노예로 삼게 되는데, 이것으로 인해 천민이

▲ 조선의 신분제를 폐지한 갑오개혁을 주도한 김홍집.

나 노예 등이 생겨나게 됩니다. 그리고 이렇게 형성된 계층이 사회적, 법적으로 굳어지면 신분제도가 되게 되는 것이지요. 이러한 신분제도는 자식들에게도 똑같이 적용이 되었답니다.

이러한 신분제도는 각 시대와 지역에 따라 달리 나타나게 됩니다. 우리나라 고조선의 경우, 8조금법八條禁法에는 남의 물건을 훔친 자는 노비로 삼는다는 규정이 있는데, 이 규정을 보면 고조선에도 최하 신분층인 노예가 있었음을 알 수 있습니다. 삼국시대에 이르러서는 왕족, 귀족을 중심으로 평민과 천민의 구분이 명확해집니다. 특히 신라의 경우 지배계층의 신분이 성골, 진골과 여러 두품(6~4두품)으로 세분화되어 있었는데, 이를 골품제라고 합니다. 고려시대에는 귀족, 평민, 천민으로 신분이 나누어졌고, 이 제도가 조선에 의해서도 계승되었습니다. 조선시대 초기에는 양인과 천민으로 나누어졌으나 시간이 지남에 따라서 양반, 중인, 상민, 천민으로 구분되었습니다. 이러한 신분제도는 결국 조선의 갑오경장으로 인해서 폐지되어 오늘날에 이르고 있습니다.

서양에서 신분제도가 사라지게 된 대표적인 사건이 바로 프랑스 대혁명(1789년)입니다. 이 당시 프랑스의 경우 제1신분 성직자, 제2신분 귀족, 제3신분 평민으로 구성이 되어 있었습니다. 성직자와 귀족은 특권계급으로 넓은 토지를 소유하면서 면세를 비롯한 각종 혜택을 누

리고 있었습니다. 하지만 국민의 대다수를 차지하는 평민들은 국가의 모든 세금을 부담하고 있으면서도 정치에는 참여할 수 없었죠. 이에 불만이 고조된 평민들이 혁명을 일으켜 프랑스 왕 루이 16세와 왕비 마리 앙투아네트를 비롯한 많은 귀족들을 처형합니다. 물론 그 과정에서 많은 프랑스 국민들이 피를 흘리며 싸웠습니다. 이로써 프랑스의 신분제도는 무너지게 되었고, 이를 계기로 유럽에서 신분제도가 점점 사라지게 되었습니다.

▲
귀족의 수탈과 압제를 묘사한 프랑스 삽화

역사적으로 가장 엄격한 신분제도 중의 하나가 바로 인도의 카스트제도입니다. 인도의 카스트제도는 네 개의 신분으로 구성이 됩니다. 제1신분은 브라만으로 종교를 담당하는 승려들입니다. 제2신분은 크샤트리아로 전사, 즉 귀족 계급입니다. 제3신분은 바이샤로 평민, 제4신분은 수드라로 천민 계급입니다. 이 카스트제도는 자손에게 신분만 물려주는 것이 아니라 직업도 물려주게 됩니다. 물론 다른 카스트 간에는 결혼도 할 수 없습니다. 오늘날 이 제도는 인도에서 법적으로 폐지가 되었지만 아직도 그 효력을 발휘하고 있습니다.

이러한 신분제도 중에서 가장 하층을 구성하고 있는 것이 바로 노예들입니다. 노예의 역사는 사실 매우 긴 편입니다. 하지만 비교적 최근까지도 노예제도가 존재했던 대표적인 나라가 바로 미국이었습니다. 링컨에 의해 노예가 해방되기 전, 미국은 아프리카로부터 많은 흑인들을 잡아와 노예로 삼았습니다. 그렇게 잡혀온 노예들은 미국의 농장에서 매일 같이 일하는 신세였답니다. 이 흑인 노예를 해방시켰던 사람이 바로 링컨 대통령입니다.(1863년) 그 이후 이러한 노예제는 근대사회에서 거의 찾아 볼 수 없게 되었답니다.

▲ 미국에서 흑인에 대한 차별은 노예제가 폐지된 후에도 장기간 남아 있었다.

오늘날에는 이러한 신분제도를 거의 찾아 볼 수 없게 되었으며, 모든 사람들이 자유와 평등을 누리는 사회입니다. 하지만 이러한 자유와 평등을 얻기까지 역사상 많은 사람들이 피를 흘린 희생이 있었다는 사실, 기억해야겠죠?

제4장
팔도총론-조선 시대 각 지방의 생활은 어떠했을까?

이제부터는 조선 시대 각 지방의 생활, 좀더 자세하게 얘기하면 자연과 문화를 살펴 볼 거야.
와우
조선 시대나 지금이나 영토 크기가 거의 변함이 없다는 것이지. 조선 시대의 행정구역을 흔히 '조선 팔도'라고 얘기하는데, 이는 조선이 여덟 개의 지방으로 이루어졌음을 뜻해.
현재 우리나라, 즉 남·북한을 포함한 영토의 크기는 대략 조선 시대에 정해졌어.
조선이 여덟 개의 지방으로 이루어졌다는 것은 단순히 행정구역이 나누어져 있다는 것만을 뜻하는 것은 아니야.
넘어 오지 마!
그것은 여덟 개의 지방이 각각 다른 지방과 비교하여 서로 다르다는 것을 말하는 거지.

자, 그럼 여덟 개의 지방은 어떤 면에서 차이가 날까?
뭐? 이미 알고 있다고?
한번 말해 볼래?
쫑긋
볼래~
콰직
기후
사람들이 쓰는 말
집의 형태
"ㅂ"
"ㅁ"
"ㄱㄴㄹ
어
시방 이것이 뭐다냐
그래
그러냐
땅의 생김새
자라는 식물
뽁
뽁
뽁
의복
폴짝
모두들 아주 잘 알고 있구나!
자라나는 식물
쯧쯧
바로 그런 것을 통틀어서 흔히 자연과 문화가 다르다고 말하지.
자연
기후
자라는식물
땅의 생김새
문화
사람들이 쓰는 말
집의 형태
의복
우리나라는 크게 팔도로 나뉘어 있어.
함경도
평안도
황해도
강원도
경기도
충청도
경상도
전라도
우리나라는 자연과 문화의 차이에 따라 여덟 개의 지방으로 구별할 수가 있는데
안녕 평안도 라고해
안녕 난 함경도야
난 황해도
강원도 의힘
경기도 쌀 최고
충청도 놀러와
전라도 음식 짱~
경상도 히히
그렇기 때문에 행정구역도 팔도로 나누어지게 된 것이지.
행정구역
전라도
충청도
경상도
강원도
평안도
경기

그러면 더 어려운 질문 하나!
Q&A
그러면 왜 같은 나라인데도 이렇게 자연과 문화가 달라지는 것일까?
물고기가 최고!
쌀이 최고지!
왜 사람들이 생활하는 모습은 지방에 따라 달라질까?
왜 같은 나라인데도 경상도와 전라도의 말은 서로 조금씩 다를까?
그렇다 아이가.
그랬당께.
이것에 대해 잠시 생각해 볼까?
음~
음~
사람은 자주 만나면 만날수록 생각이나 행동이 비슷해지는 경향이 있어.
!
=
그걸 한자말로 '유유상종(類類相從)' 이라고 해.
하하
하하
원래는 생각이나 행동이 비슷한 사람끼리 몰려다니는 경우를 말하는데.
꿀꿀
꿀꿀
사실은 그렇게 같이 몰려 다니다 보니 생각이나 행동이 비슷해지는 경우가 많아.
친한 친구가 좋아하는 가수는 나도 관심이 생기고, 친구가 유명브랜드의 옷을 입으면 나도 입고 싶어지는 경우가 많잖아.
와
와
와
삑
저 옷 어디서 산 거지?

친구들과 다른 점이 있으면, 그래서는 안 되겠지만 왠지 따돌림 당하기 십상이잖아.
가자
왕따
그러니 집에서는 안 그런데, 친구들끼리만 있으면 말도 거칠어지고
옷차림도 비슷하게 입고 그러지.
Yo! 왔어.
그렇게 자주 만나는 친구끼리는 쓰는 말, 생각, 또는 옷차림이 비슷해지게 되는데
이것을 문화가 비슷해진다고 해.
퓨전
문화
퓨전
이처럼 문화가 같거나 혹은 달라지는 이유 중의 하나가 서로 얼마나 자주 교류하였느냐 하는 것이야.
교류가 많을수록 문화는 같아지고,
Hi
안뇽
교류가 적을수록 문화는 달라지는 특성이 있거든.
뜨악
먹을 거다
거기에다가 자연환경도 차이가 난다면 더욱 그렇겠지.
열대지방에 사는 사람과 북극 지방에 사는 사람들의 생활을 비교해 보면 금방 이해가 될 거야.
먹을 거다
나 맛 없어

그러면 사람들은 왜 서로 만나는 횟수가 차이날까?
통화내역
김도령↑
김도령↑
김도령↑
이대감↓
조선 시대에는 대개 걸어서 이동을 했는데
이때 가장 장애가 되는 것이 바로 산맥과 강이야.
산은 넘어가기가 힘드니까 특별한 경우가 아니면 산맥을 넘어가진 않았겠지.
결국 산맥을 경계로 사람들이 서로 왕래를 하지 않게 되고, 그 결과 언어나 음식과 같은 생활모습이 다르게 된 것이야.
그래서 산맥과 강을 경계로 사람들이 살아가는 모습이 다르게 되었지.
강도 마찬가지지. 강을 건너려면 꼭 배를 이용해야 하니까 역시 장애가 될 수밖에 없었지.
이에 따라 행정구역도 팔도로 나뉘게 된 거야.

그러면 조선 시대의 팔도는
어디어디를 가리키는 것일까?
북쪽부터 쭉 한번 열거해 볼까?
척
함경도, 평안도, 황해도, 강원도, 경기도, 충청도, 전라도, 경상도.
딱 여덟 개!
함경도
평안도
황해도
강원도
경기도
충청도
경상도
전라도
척
어! 그런데 좀
허전할걸?
쿵쿵
하나가 빠졌잖아! 제주도는 어디에 있지?
제주도가 조선 팔도에서 빠지게 된
것은 실수가 아니야.
엥?
나도 끼워줘
제주도
조선 팔도
조선 시대에는 제주도가
전라도에 속해 있었기
때문이지.
전라도
제주도는 대한민국
수립 후에 새로이
생겨난 행정구역이지.
북한에서도
양강도, 자강도가
생겼어.
그러니 제주도에 사는
친구들은 기분이 좀 나빠도
이해해 줘.

그러면 각 도의 이름은 어떻게 지어진 걸까?
…
이름 좀…
여러분의 이름은 부모님이나 할아버지, 혹은 실력 있는 유명한 분들이(작명소) 지어 주었을 거야.
니 이름은 이제 금도끼 은도끼다.
펑
각 도의 이름은 어떻게 생겨난 건지 궁금하지 않아?
혹시 여러분이 사는 곳의 동네 이름이 어떻게 지어졌는지 알고 있니?
목도리
파전리
소주리
국수리
옛날에 각 마을 명칭은 윗마을, 아랫마을이었지.
윗마을
아랫마을
한자로 하면 각각 상리(上里), 하리(下里)가 되지.
上里
下里
그런데 이 윗마을과 아랫마을이 하나의 행정구역, 즉 동네로 묶이면 마을 이름도 새로 지어야겠지?
어어
상리
하리
으아아
서로 자기 마을 이름으로 하려고 싸우다가
상리
하리
타협을 하게 되지. 윗마을, 상리에서 한 글자, 아랫마을 하리에서 한 글자씩을 따와서 이름을 짓는 거야.
하하하하
상하리
상
하
리
이상하다고? 그래서 이럴 경우 살짝 한 글자를 바꾸는 경우가 종종 있어.
상하리
킥킥
상했나
아래 하(下)자를 발음이 비슷한 화목할 화(和)자로 말이야.
히히히
짜자잔
상화리
상
화
리
상화리! 어때 괜찮지? 못 믿겠다고?
하지만 실제로 많은 마을 이름이 이렇게 지어졌어.
믿거나 말거나!

그런데 이런 방식이 조선 팔도의 이름을 붙이는 데도 거의 똑같이 적용이 돼.
이름 좀 지어줘
조선 팔도
한번 살펴 볼까? 우선 그 지방의 고을 중에서 두 곳을 선택하는 거야.
선택의 기준은? 당연히 사람이 많이 사는 곳이지.
꼭 그런 것은 아니지만 대체로 말이야.
히~ 히~
예를 들어서 평안도에서 행정구역명을 새로이 결정한다고 하자.
음~
....
평안도에서 사람이 가장 많은 곳은 평양과 안주야.
안주
평양
평안도
그래서 평안도인 거지.
평안도
함흥 + 경성 = 함경도
황주 + 해주 = 황해도
강릉 + 원주 = 강원도
충주 + 청주 = 충청도
전주 + 나주 = 전라도
경주 + 상주 = 경상도
탁
탁
어때? 쉽지. 그런데 예외없는 규칙은 없다고, 이러한 규칙에서 벗어나는 곳이 바로 경기도야.
난 달라.
강원도
충청도
전라도
경기도
폴짝
경기도는 왕이 사는 곳이라는 의미를 가지고 있어. 결국 경기도란 왕이 사는 곳이란 뜻이지.
京 畿 道
서울 경 경기 기 길 도
이름에 관한 유래를 알아 보았으니 이제 각 도별로 그 지방의 자연과 문화를 알아봐야겠지?
자, 그럼 조선 시대로 떠나 볼까?
출발~
부르릉~

조선 시대에는 인구가 얼마나 되었을까?

▲
조선시대의 인구 통계는 세금을 걷기 위한 호구 통계를 기초로 하고 있다.

현대 지리학에서 사용하는 지리 통계는 대단히 많습니다. 사실상 모든 통계가 사용 가능하다고 해도 과언이 아닙니다. 하지만 그 중에서도 중요시되는 통계 몇 가지를 보면 인구, 상점, 주택, 사업체나 공장, 농어업 등에 관한 통계입니다. 우리나라의 이러한 통계는 통계청에서 제공하는 통계지리정보서비스(http://gis.nso.go.kr)를 이용하면 자세하게 알 수 있답니다.

이러한 통계 가운데서도 현재와 과거를 통틀어서 가장 중요한 지리적 통계 중의 하나가 바로 인구에 관한 통계라 할 수 있습니다. 왜냐하면 인구 통계는 모든 국가 정책의 기초를 이루고 있기 때문입니다. 현재의 인구통계는 5년에 한 번씩 주기적으로 행해지며, 이때 조사원이 가정을 방문하여 가족 수를 비롯한 여러 가족의 생활 정도, 혼인 상태 등

다양한 내용을 조사합니다. 이를 기초로 국가 정책을 수립하거나 변경하기도 합니다.

이것은 조선에서도 마찬가지였답니다. 조선 시대의 인구 통계는 지금과는 다소 다른 호구戶口 통계입니다. 호구란 집과 사람 수를 말합니다. 조선 시대 호구자료 조사는 3년에 한 번씩 실시하는데, 문제는 관에서 직접 조사원을 파악해 조사하는 것이 아니라 각 가구에서 자율적으로 신고를 한 것이라는 겁니다. 당연히 그 정확도가 떨어질 수밖에 없었죠.

그러므로 조선 시대의 호구 통계는 실제 인구수를 반영하는 통계로는 신뢰성이 크질 않습니다. 특히 호구조사를 하는 목적이 세금을 부과, 특히 군역을 부담할 사람을 파악하는 데 중점이 두어졌기 때문에 16~60세까지의 장정만 계산되고, 노인, 어린이, 노비, 여자들이 빠졌을 가능성이 큽니다. 또한 과세 대상에서 빠지기 위해 고의로 누락되었을 가능성도 큽니다. 그렇기 때문에 조선 시대의 인구 통계는 공인된 기록이라기보다는 참고자료의 성격으로 이해하는 것이 좋을 것입니다.

그렇다면 조선 시대의 인구는 도대체 얼마나 되었을까요? 조선 초기인 태종 4년(1404년)을 보면 호수戶數가 약 15만 호이며 인구는 약 32만 명 정도입니다. 이 조사에서는 서울, 경기도가 빠져 있습니다만, 그렇다고 해도 인구가 생각보다 상당히 작은 것을 알 수 있

습니다. 이는 앞에서 말한 조사의 한계성 때문입니다. 어떤 학자에 의하면 이 시기의 인구를 약 550만 명 정도로 추정하고 있습니다. 반면에 조선 후기 정조 22년(1798년)의 우리나라 호수戶數는 약 174만 호, 인구는 약 740만 명이었습니다. 이에 대한 현재의 추정치는 약 1,800만 명 정도입니다. 태종 때와 비교하면 인구가 많이 증가한 것을 알 수 있습니다. 그만큼 사회, 경제적으로 발전하고 있었음을 나타냅니다. 그렇다면, 조선 시대에 가장 사람이 많이 살았던 지역은 어디이며, 현재와는 어떻게 차이가 날까요? 지방별로 보면 〈표1〉과 같습니다. 가장 많은 사람이 살았던 곳이 경상도, 전라도, 평안도 지역임을 알 수 있습니다.

	호수	인구	남자	여자
전국	1,741,184	7,412,686	3,636,654	3,776,032
서울	44,945	193,783	98,693	95,090
경기	161,772	662,992	339,145	323,847
강원	80,740	329,455	166,693	162,762
황해	136,199	579,845	311,413	268,432
충청	220,693	871,057	432,257	438,800
전라	316,732	1,226,247	584,807	641,440
경상	358,893	1,582,102	725,743	856,359
평안	299,441	1,283,239	639,622	643,617
함경	121,769	683,966	338,281	345,685

〈표1〉 정조 22년(1798년)의 지역별 인구

현재 남한의 경우, 총인구가 2000년을 기준으로 보면 〈표2〉와 같으며, 현재 가장 사람이 많이 사는 곳이 서울, 경기 지역임을 알 수 있습니다. 참고로 조선 시대의 충청, 전라, 경상도는 현재 각각 남, 북도로 분리되었으며, 추가로 새로이 광역시들이 생겨났습니다. 제주도는 조선 시대에 전라도에 속해 있었답니다.

행정구역	인구수	행정구역	인구수
서울특별시	9,895,217	강원도	1,487,011
부산광역시	3,662,884	충청북도	1,466,567
대구광역시	2,480,578	충청남도	1,845,321
인천광역시	2,475,139	전라북도	1,890,669
광주광역시	1,352,797	전라남도	1,996,456
대전광역시	1,368,207	경상북도	2,724,931
울산광역시	1,014,428	경상남도	2,978,502
경기도	8,984,134	제주도	513,260

〈표2〉 2000년 인구 총조사

제4-1장
평안도, 역사적 유서가 깊은 곳
大同門
평안도는 대체로 압록강 남쪽에서 대동강 북쪽 사이에 위치한 지방이야.
평안도
평안도는 우리나라 북부 지방에 해당하기 때문에 겨울 날씨가 대체로 추워.
덜덜
평안도의 지형은 동쪽으로 태백산맥에 가까워져 산이 많고 평지는 적은 편이야.
우리나라에서 가장 중요한 작물인 벼는 주로 평지에서 재배가 되기 때문에 평안도는 논이 다소 적은 편이야.
다만 바닷가에서는 밀물과 썰물을 막아 논을 만들기도 했어.

그러나 아무래도 논이 적기 때문에 쌀값이 남부 지방에 비해 비쌀 수밖에 없었지.
'쌀값이 비싸다.' 라고 하는 것은 먹고 살기 힘들다는 것이지.
특히 평안도의 청천강 이북 지역은 날씨가 더 추워서 백성들의 생활이 고달플 수밖에 없었어.
덜 덜 덜.
덜덜…
휘이이잉~
또한 북쪽으로 국경선과 가깝다 보니 다른 나라와 다툼도 많을 수밖에 없었지.
챙
챙
다툼이 많으면 앉아서 공부하는 것이 중요한 게 아니라 싸움을 잘하는 것이 중요하기 때문에
헉!
이 지방 사람들은 무예를 좋아하고 성격도 거칠 수밖에 없었지.
다 덤벼!
상대적으로 평안도의 청천강 이남 사람들은 북쪽 국경선에서 좀 떨어져 있는 데다
와아
와아
와아
우당탕탕
뭔 소리여?
한양과도 가까운 편이라 무예보다는 학문을 좋아했다고 해.
《택리지》에서는 평안도의 풍속이 삼을 많이 심어서 베짜기를 많이 한다고 되어 있어.
왜 평안도에서는 삼을 이용한 베짜기를 많이 했을까?
혹 베옷을 매우 좋아했기 때문일까?
역시 평안도 삼베가 최고얏
멋지다

조선 시대 서민의 옷감 원료로는 삼, 목화, 모시풀 등이 있었는데 목화와 모시풀은 주로 날씨가 따뜻한 곳에서 잘 되는 작물들이야.
더워
뽕나무
삼
추워
목화
모시
그런데 평안도는 기후가 서늘하여 목화와 모시풀 재배가 잘 되지 않아.
휘이이이이잉
결국 평안도 사람들이 재배할 수 있는 작물이 삼뿐이었기 때문에 그랬던 것이지.
어쩔 수 없다구….
마찬가지로 대나무, 감, 닥나무도 날씨가 따뜻한 곳에서 잘 되는 작물들이기 때문에 평안도에서는 재배가 어려웠어.
우리도 껴줘
대나무
감
닥나무
오늘날에는 추운 겨울을 즐기는 사람들도 많지만
예전에는 추운 날씨는 먹고 사는 것과 밀접한 관련성이 있었어.
다 얼어서 먹을 게 고드름밖에 없구나…
추워
왜냐하면 앞에서도 언급했지만 날씨가 추우면 벼를 비롯한 여러 작물들이 자라기 어렵거나, 그 수확량이 적어지기 때문이지.
휘이이잉~
추워 죽겠다.
휘이이잉~
우리나라에서는 평안도가 그러한 지방 중의 하나라고 보면 되는 거야.
꽁꽁
특히 압록강 가에 위치한 강계는 우리나라에서 가장 추운 곳 중의 하나야. 추워서 농사가 안 되기 때문에 국가에 공물이나 세금을 바치기가 어려웠어.
세금으로 고드름을….
그래서 이곳에서 많이 나오는 인삼을 세금으로 바치게 되었지.
날 세금으로…
세 금

평안도라는 명칭이 이 지역의 가장 큰 고을인 평양과 안주의 첫 글자를 따서 지었다는 것 기억하지?
평양
평안도
안주
그 중에서도 평양은 과거 우리나라 북부 지방에서 가장 크고 중요한 곳이었어.
밑줄 쫙!
평양
현재는 북한의 수도에 해당이 되지.
그렇기 때문에 오늘날 북한뿐만 아니라 과거의 많은 왕조들이 이곳을 중심으로 발달했고, 그 유적들도 많이 남아 있는 편이야.
평양성
《택리지》에서는 고조선 시대에 기자조선, 위만조선이 바로 평양을 중심으로 존재했던 나라들이라고 말하고 있어.
기자 조선
위만 조선
평양
여러분도 우리나라의 시조인 단군왕검이 고조선을 세운 것은 알고 있을 거야.
그런데 이 책에서는 단군왕검이 세운 조선이 나중에 중국으로부터 이주해 온 기자(箕子)라는 사람과 위만(衛滿)이라는 사람에게 넘어가게 되었고,
조선
이 나라들이 바로 평양을 중심으로 세워졌다고 하고 있어.
현대에는 증거가 부족하기 때문에 부정적인 견해도 많은 편이야.
기자조선
위만조선
더불어 평양에 기자의 무덤이 남아 있다고 하면서 기자의 후손들이 제사를 지낸다고 하고 있는데, 그 후손을 선우씨라고 하고 있어.
행주 기씨, 청주 한씨의 조상도 바로 기자라고 알려져 있어.

그리고 평양은 오랫동안 고구려의 수도였기 때문에 고구려를 세운 주몽과 관련된 유적들도 많다고 해.
《택리지》에서는 주몽과 관련되어 전해오는 이야기에는 허황된 것이 많아 다 믿기는 곤란하다고 하고 있어. 아마 주몽이 알에서 태어났다든가
응앙
혹은 동부여에서 탈출해 강을 건널 때 '물고기와 거북이 다리를 만들어 주었다.'는 등의 내용이 아닐까 싶어.
핫
이러한 내용은 나라를 세운 사람들을 신성시하는 과정 중에서 종종 나타나는 표현인데 이 책에서는 허황되어 믿기 곤란하다고 말하고 있는 것이지.
판타지냐?
오늘날에도 평양에는 주몽의 능(동명왕릉)이 전해 내려오고 있고, 그 외에도 고구려의 유적들이 많이 남아 있어.
이처럼 평양은 과거 우리나라 역사의 중심지였던 곳이야.
기준!
우르르
와
평양
특히 조선 시대에는 우리나라와 가장 밀접한 관련성이 있는 나라가 중국이었는데,
반갑다해.
안녕.
중국을 오가는 사신과 상인이 대부분 평양을 통과했어.
좋아….
하루 쉬었다
가자!
평양
2km

《택리지》에서도 평안도가 중국으로 가는 사신들이 통과해서 중국 물품이 풍부하고, 장사치로서 중국에 가는 사신을 따라 왕래하는 자들이 많아 부유한 사람들이 많았던 고을이라고 말하고 있지.
중국
평안도
혹시 '평양감사도 저 하기 싫으면 그만' 이라는 말 들어봤어?
평양감사?
조선 시대 평안도를 다스리던 사람을 평안감사라고 하는데
엣헴
이 평안감사가 있는 곳이 평양이라 사람들은 보통 '평양감사'라고 불렀지. 아무리 좋은 것이라도 본인이 하기 싫으면 그만이라는 뜻이야.
안해.
평양 감사
그런데 다른 지방의 감사도 많은데, 하필이면 평안감사일까?
평안감사
우선 중국으로 가는 사신이 들르기 때문에 중앙의 권력자를 쉽게 만날 수 있는 자리이기 때문이야.
어이쿠! 오셨습니까
또 하나는 평안도는 국경 지방이라 방어의 필요성 때문에 돈이 많이 필요해서 이곳에서 걷어 들인 세금은 다른 지방과 달리 중앙에 보내지 않고 평안감사가 사용할 수 있는 권한이 있어서 재물이 풍부한 자리였기 때문이지.
세금 없어! 가!
세금
더군다나 평양 기생은 예쁘기로 유명했기 때문에 놀기에도 좋은 자리였을 거야.
결국 모든 관리들이 평안감사가 되는 것을 무척 좋아했다는 것이지.
으하하
《택리지》에서는 이 평안감사 중 박엽이라는 사람에 대해 언급하고 있어.
박엽

《조선왕조실록》은 조선 시대 왕들의 통치에 관한 기록이야.
조선왕조실록
그런데 특이하게도 이 책에는 왕이 아닌 사람이 두 명 있는데, 그중 한 사람이 광해군이야. 박엽은 바로 광해군이 총애한 신하였어.
광해군
광해군은 그의 재능을 높이 사 평안감사로 임명했지.
그 때는 평안도 국경 부근에서 청나라와 다툼이 많았는데 박엽이 슬기롭게 대처를 아주 잘한 모양이야.
아직도 우릴 오랑캐라고 무시하냐?
하하 그럴리가요!
그러던 중 박엽의 부하 장수 중 한 명이 그에게 말하지.
드릴 말씀이 있습니다.
?
지금의 왕, 광해군이 당신을 총애하지만 곧 쫓겨날 것이고, 그렇게 되면 당신도 화를 당할 것입니다.
만약 조정에서 무슨 일이 벌어지거든 다스리는 곳을 청나라에 바치고 그곳 중 일부를 떼어서 차지하시죠?
청
이에 대해서 박엽은 호통을 치며 나라를 배반하는 신하가 될 수 없다고 말했다고 해.
냉큼! 내 앞에서 사라져라!
결국 광해군은 신하들에 의해 쫓겨나게 되었고 그 지위도 왕에서 군으로 격하되었지.
뻥
크윽
그 후 인조가 왕에 오르면서 광해군과 친한 사이였던 박엽은 죽임을 당해.
막강한 권한을 가진 평안감사에 광해군과 친한 박엽을 그냥 둘 수는 없었던 거지.
너도 한패지?
!
박엽은 마지막에 죽으면서 무슨 생각을 했을까?

《택리지》는 사대부들이 관심 있어 할 만한 내용들을 많이 다루고 있는데,
그 중의 하나가 역사 인물에 관한 이야기나 사대부들이 경치를 즐길 만한 곳에 관한 내용이야. 평양 역시 역사적으로 유서가 깊은 곳이고 경치가 아름다운 곳이 많기 때문에 이러한 내용을 다루고 있어.
조선의 선비들은 시를 짓는 것을 굉장히 중요하게 여겼어. 선비로서 일종의 교양 과목 같은 거지.
시상이 안 떠올라
시를 잘 지어야 품위가 있고 학문 수준도 높은 것으로 여겼거든.
글짓기
학문
띵~
그런데 시라고 하는 것이 경치도 좋고 분위기도 좋아야 잘 써지잖아.
시상이 절로 떠오르는구나.
그래서 경치도 즐기고 놀 수도 있는 곳을 찾아서 정자나 누각을 짓고, 그 곳에서 시도 짓고 잔치도 벌이고 하는 것이지.
어디 놀 만한데 없을까?
그리고 잔치를 열 때 시중드는 기생들도 있으면 더욱 좋겠지?
쪼르륵
평양 대동강 변에는 부벽루라는 아름다운 누각이 있어.
거기에다 평양은 기생이 아름답기로 유명한 고을이잖아.
그러다 보니 평양에 놀러온 이름 있는 양반들은 부벽루를 방문해서 연회를 벌이는 경우가 많았던 모양이야.
《택리지》에서는 이 부벽루에서 있었던 이야기를 하나 소개하고 있어.
택리지

조선 시대에 허봉이라는 사람이 있었는데 이 사람은 소설 《홍길동전》을 지은 허균의 형이야.
허봉은 부벽루에 가서 평안감사의 사위와 함께 기생들을 데리고 연회를 하고 있었어.
이때 평안감사의 부인이 자기 사위가 기생들과 노는 모습이 마음에 안 들었던지 감사를 부추겨 기생들을 잡아 가둔 것이야.
기생하고 우리 사위가 놀고 있구려….
이 일을 당한 허봉은 자기가 당한 일이 좀 화도 나고 어처구니없기도 해서, 이 일을 이곳저곳 얘기하고 다녔지.
평안감사가 자기 부인에겐 꼼짝 못하더구먼!
결국 이 얘기가 퍼져서
평안 감사가….
공처가래!
팡팡
평안감사가 자기 부인 때문에 세상의 웃음거리가 되었다고 해.
공처가
킥 킥 킥 킥 킥
요즈음이야 평양시장이나 평안도지사의 사위가 친구들과 비싼 술집에서 술 먹고 논 행동이 그리 자랑할 만한 일은 못되지만
-평안도 일보-
평안도지사 사위 기방출입
조선 시대에는 여인이 남자들 하는 일에 참견하는 것이 더 꼴불견이었나 봐, 그치?
당신 때문에 망신당했잖아
내가 뭘요?

이 부벽루와 함께
대동강 가에 연광정이라는
정자가 있었어.
이곳에서 바라보는 아름다운 모습이 말로 표현할 수 없을 정도라고 해.
그래서 그런지 명나라 사신이 이곳에 왔다가 이 아름다운 모습에 감동하여 '천하제일강산(天下第一江山)' 이라는 글을 써서 정자에 걸었지.
天下第一江山
좋구나
그런데 후에 병자호란이 일어났을 때 청나라 황제가 우리나라에 쳐들어 왔다가 돌아갈 때 이 현판을 보았어.
!
天下第一江山
청나라 황제는 자기 나라에 경치 좋은 곳이 더 많은데 무슨 헛소리냐며 이 현판을 떼어 버리려고 했어.
이런 건방진
天下 第一江山
그런데 이 현판에 글씨를 쓴 솜씨가 너무 마음에 들어서 떼어 버리기가 아까웠지.
오호!
빛이 나는구나!
번쩍
天下第一江山
결국 그 글씨 중에서 가장 눈에 거슬리는 '천하' 라는 두 글자만 톱질해 버렸다고 해.
콰직!
天下
第一江山
연광정이 그만큼 아름다운 곳이란 말이겠지?

《택리지》는 역사이야기도 한 편 소개하고 있는데,
위화도회군
우리나라에서 중국으로 건너가는 압록강 복판에 위치한 위화도와 관련된 것이야. 이곳은 우리나라 역사에 있어서 상당히 중요한 곳이야.
명
안동
위화도
검동도
신도
압록강
고려장성
정주성
고려
조선의 역사가 시작되는 곳이지.
고려 말에 최영이 고려 우왕에게 요동 지방을 공격하도록 권하였지.
황금 보기는 돌같이 하고
명나라는 무너뜨려야 합니다!
최영
1316~1388
그리하여 이성계에게 군사 6만 명을 주어 공격하도록 했어.
공격해!
엣!
그런데 평소 요동 정벌에 반대했던 이성계가 요동으로 가는 길에 바로 이 위화도에서 군사를 돌렸어.
위화도
이성계
1335~1408
그리고 개성으로 돌아가 최영과 우왕을 죽이게 돼.
성공한 반란은 혁명이 되어 버렸지.
우왕
최영
역사에는 만약이 없다고 하지만 만약 이성계가 그대로 요동을 공격했다면 어떻게 되었을까?
진격하라!
와아아
오늘날 '그 넓은 요동 땅이 우리나라 땅이 되지 않았을까' 하는 상상을 해보게 돼.
요동
그 후 이성계는 공양왕에게서 나라를 물려받아 조선을 세우고 태조가 되지.
험~
자! 평안도의 유명한 인물과 경치에 대해서 이야기해 보았으니 이제 북부 지방 중의 하나인 함경도로 가볼까?
함경도

제4-2장 함경도, 산과 하늘이 만나는 곳

함경도는 우리나라에서 가장 북쪽에 있는 지방이야.
삼수갑산(三水甲山)이란 얘기 들어봤어? 삼수갑산이란 가장 험한 산골을 얘기할 때 많이 쓰는 말이야.
삼수와 갑산은 함경도의 고을 이름인데 산이 높고 험해서 사람 살기 힘들다는 뜻이지.
함경도는 대부분이 산지로 되어 있고 겨울 날씨도 우리나라에서 가장 추운 곳에 속했.
휘이이잉
꽁꽁
휘이이잉
특히 함흥의 북쪽지역은 더욱 그렇지.
꽁꽁
곡식도 추운 곳에서 잘 자라는 조와 보리를 재배할 뿐이야.
휘이이잉
별로 안춥다 그치?
날씨가 추워 쌀의 수확도 적고 목화도 재배하기 힘들어 생활이 어려웠지.
스스슥
달달달
살림이 넉넉한 사람들은 산에서 담비 가죽과 인삼이 많이 나기 때문에 남쪽 장사꾼의 면포와 바꾸어 옷을 해 입었어.
바꾸자!
좋소.
하지만 대다수의 사람들은 개가죽으로 옷을 해 입었는데 이건 여진족과 비슷해.
여진족이다!

함흥은 함경도에서 가장 크면서도 중요한 고을이야.
함흥
함경도
그렇기 때문에 함경도를 다스리는 감사가 이곳에 머물고 있었지.
함흥
함경도
《택리지》에서는 함경도의 백성들이 처음에 학문을 알지 못했다고 하고 있어.
?
무엇에 쓰는 물건인고?
성종 때 이계손이 감사로 와서 소년들을 모아서 학문을 가르친 후에 과거에 합격한 사람도 가끔 나왔다고 하고 있어.
하하하
합격
그러면 왜 함경도엔 이전에는 과거에 합격한 사람이 없었던 것일까?
난 몰러.
오늘날 산골에서 공부한 학생이 좋은 대학에 가는 것이 힘든 걸 보면 알 거야.
함경도 사람들은 주변에 과거 시험에 대한 동기부여를 해줄 사람도, 학문을 가르쳐 줄 만한 훌륭한 선생님도, 그리고 과거에 합격할 수 있는 노하우를 가르쳐 줄 사람도 없었던 거야.
글을 잘하면 과거에 붙을 수 있다는데…
?
과거가 뭔데?
글은 뭔데?
그런데 함경감사 이계손이 함경도의 소년들에게 이러한 것들을 가르쳐 주었던 것이지.
족집게 과거 과외!
짜잔
그러니 함경도 백성들이 이계손에 대해 대단히 고마워 했겠지?
함경감사 이계손 만세!
와아
와
와
그래서 이계손이 죽자 함흥에 사당을 세우고 제사를 지냈다고 하는데,
이 사람이 바로 이중환의 조상이야.

함경도의 행정 중심지가 함흥이라면 상업 중심지는 바로 원산이야.
원산
사실 《택리지》에서 도회지라는 표현을 쓸 때는 주로 행정중심지를 이야기하는데,
특별히 원산은 행정중심지가 아님에도 도회지란 표현을 쓰고 있지.
행정중심지
도회지
도회지
원산
그 정도로 원산은 당시에 상업이 발달해서 사람과 배, 물자가 모이는 큰 고을이었던 거야.
원산은 동해 바닷가에 있기 때문에 이곳 사람들은 주로 고기잡이와 해초를 캐서 생활했지만,
주된 생업은 편리한 바닷길을 이용한 상업이었어.
촤악
원산은 편리한 바닷길 덕분에 함경도에서 생산되는 특산물이 이곳에 모여들었고,
원산
이러한 물품을 구하기 위해 가까이 위치한 강원도, 황해도, 평안도뿐만이 아니라 한양의 여러 장사꾼들까지 모여 들어 큰 도회지가 형성될 수 있었지.
우글
우글
우글
그러다 보니 백성 중에는 상업과 창고업으로 부유해진 자들도 많았어.
특히 이곳의 창고에는 바닷길로 실어온 경상도 곡식을 쌓아 두었다가 함경도에 흉년이 들면, 이 곡식으로 극복하였지.
지금도 원산은 함경도에서 가장 큰 도시 중의 하나야.
원산
청진
함흥

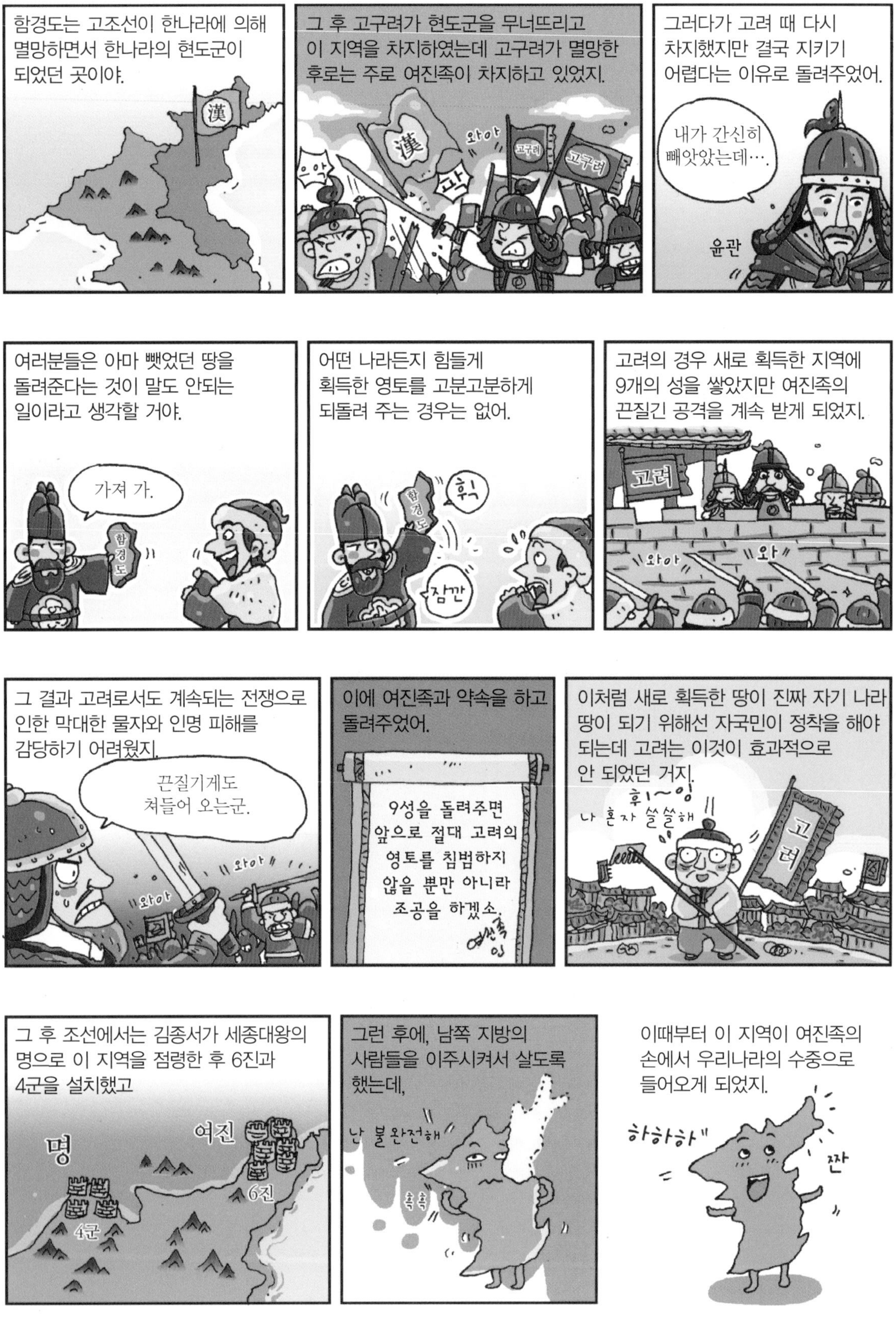
함경도는 고조선이 한나라에 의해 멸망하면서 한나라의 현도군이 되었던 곳이야.
漢
그 후 고구려가 현도군을 무너뜨리고 이 지역을 차지하였는데 고구려가 멸망한 후로는 주로 여진족이 차지하고 있었지.
漢
으악
와아
고구려
고구려
콰
그러다가 고려 때 다시 차지했지만 결국 지키기 어렵다는 이유로 돌려주었어.
내가 간신히 빼앗았는데….
윤관
여러분들은 아마 뺏었던 땅을 돌려준다는 것이 말도 안되는 일이라고 생각할 거야.
가져 가.
함경도
어떤 나라든지 힘들게 획득한 영토를 고분고분하게 되돌려 주는 경우는 없어.
함경도
휙
잠깐
고려의 경우 새로 획득한 지역에 9개의 성을 쌓았지만 여진족의 끈질긴 공격을 계속 받게 되었지.
고려
와아
와
그 결과 고려로서도 계속되는 전쟁으로 인한 막대한 물자와 인명 피해를 감당하기 어려웠지.
끈질기게도 쳐들어 오는군.
와아
와아
이에 여진족과 약속을 하고 돌려주었어.
9성을 돌려주면 앞으로 절대 고려의 영토를 침범하지 않을 뿐만 아니라 조공을 하겠소.
이처럼 새로 획득한 땅이 진짜 자기 나라 땅이 되기 위해선 자국민이 정착을 해야 되는데 고려는 이것이 효과적으로 안 되었던 거지.
휘~잉
나 혼자 쓸쓸해
고려
그 후 조선에서는 김종서가 세종대왕의 명으로 이 지역을 점령한 후 6진과 4군을 설치했고
명
여진
6진
4군
그런 후에, 남쪽 지방의 사람들을 이주시켜서 살도록 했는데,
난 불완전해
흑흑
이때부터 이 지역이 여진족의 손에서 우리나라의 수중으로 들어오게 되었지.
하하하
짠

이런 역사적 배경 때문에 조선 초까지도 이 지역은 조선의 국경 지역이었고,
우리나라 사람과 여진족이 뒤섞여 살았어.
그런데 조선을 건국한 이성계의 출신지가 바로 함경도야.
조선
함경도 출신
그렇기 때문에 이성계를 도와서 조선을 세운 장수 중에는 여진족 출신도 있는데, 그 대표적인 사람이 이지란(본명 퉁두란, 개국공신)이야.
이지란
이성계 님을 도와드리겠습니다.
이성계가 함경도 출신이기 때문에 이곳에서는 이성계와 관련된 일화가 많이 전해 내려오고 있어.
어떤 이야기인데?
이성계가 조선을 건국하기 전에 꿈을 꾸었는데, 세 개의 서까래를 등에 짊어지고 꽃이 날리면서 거울이 깨지는 꿈이었어.
!
쨍그랑
번쩍
흠… 이상한 꿈이로고….
꿈 내용이 하도 이상해서 평소 친하게 지내던 승려 무학에게 얘기를 했지.
내가 꿈을 꾸었는데….
흐음~

무학 스님이 꿈 해몽을 해줬어.
흠
"등에 서까래를 세 개 진 것은 임금 왕(王)자를 뜻합니다. 꽃이 떨어지면 마침내 열매가 열릴 것이고, 거울이 깨지니 어찌 소리가 나지 않겠습니까?"라고 얘기하지.
쨍강
어떤 뜻이 담겨 있을까?
무슨 뜻이오?
음
결국 이성계가 고려를 무너뜨리고 새로운 나라를 건국한다는 얘기야.
고려
이 얘기를 들은 이성계는 기분이 어땠을까?
만약 어떤 용한 점쟁이가 여러분을 보고 이 다음에 우리나라 대통령이 될 거라고 해봐. 기분 좋지!
…
마찬가지로 이성계도 아주 기뻐했다고 해.
王
그리고 훗날 임금이 된 뒤에 이를 기념하여 절을 지었는데, 그 절이 함경도 안변에 세웠다는 석왕사(釋王寺)야.
한자의 뜻이 '풀이할 석' 자에 '임금 왕' 자야.
釋 王 寺
풀이할 석 임금 왕 절 사
즉 왕이 될 것을 풀이해준 것을 기념해 세운 절이란 뜻이지.
우앙~

태조가 조선을 세운 후에 아들들 간에 커다란 싸움이 일어나는데, 이를 왕자의 난이라 해.
태조에게는 부인이 둘 있었는데, 첫째 부인의 다섯 번째 아들 방원과 둘째 부인의 아들 방번, 방석 간의 싸움이지.
태조는 자신의 뒤를 이를 세자로 막내 방석을 지목했어.
그때까지 맏아들을 세자로 삼는 것이 일반적이었는데, 막내가 세자가 되었으니 그 위의 형들은 불만이 많았을 거야.
파직!
특히 조선 건국에 많은 힘을 썼던 방원은 더욱 불만이 많았지.
내가 한 게 얼만데
뿌득
방원은 '재주는 곰(방원)이 부리고 돈(조선)은 중국인(방석)이 번 것'과 같이 생각했을 거야.
하하
!
조선
그래서 방원은 자신의 개인병사를 동원하여 가차없이 방번과 방석을 제거하지.
왜 나까지 죽은 거지
방번
방석
권력 다툼에는 형제간이라 해도 피도 눈물도 없다는 것을 잘 보여주고 있어.
흥
형님
봐 주세요~
이에 태조는 크게 노해서 둘째 아들이었던 방과(정종)에게 왕위를 물려주고는 고향인 함흥으로 가버리지.
아부지~
에헴!
정종은 결국 동생 방원의 세력에 눌려서, 방원(태종)에게 왕위를 물려주게 돼.
형님?
왕위
태종은 왕위에 오른 뒤 태조를 함흥에서 모셔오기 위해 사신을 보냈는데, 태조는 사신(차사)이 올 때마다 모조리 죽여버리지.
왜 날?
이때부터 심부름 가서 돌아오지 않는 사람을 '함흥차사'라고 부르게 되었다고 해.
함흥 갔다 올게.
아부지. 가지 마

이러기를 10년, 태종은 태조가 왕이 되기 전에, 한 동네에서 살았던 친구 박순을 차사로 보냈지.
죽으러 가는구나….
박순은 새끼 딸린 암말을 데리고 함흥에 가서 궁궐문에 망아지를 묶어 두고는 어미 말을 타고 들어갔어.
그러니 어미 말과 망아지가 서로를 찾느라 울부짖었겠지.
푸히히이히잉
푸히히히이잉 엄~마
태조가 어찌된 연유인지 묻자, 그는 동물들도 어미와 새끼 간에 사랑하는 마음이 이러한데 어찌 태종의 마음을 몰라 주느냐며 설득했어.
부모 자식의 정을….
흠….
이 말에 태조도 마음이 움직여서는 돌아갈 것을 약속했어.
알겠네. 돌아가지!
그러면서 박순에게 새벽닭이 울기 전에 영흥의 용흥강을 지나야 한다고 얘기해 주지.
꼬끼오
아마 신하들이 자넬 죽이라고 성화를 할 거야.
신하들이…
여러분이 박순이라면 이제 열심히 말을 달려서 돌아가야겠지?
빨리 가자!
이랏!
이랏!!
다 다 다 다 다다..

아니나 다를까 아침이 되자 신하들은 여태까지 그랬던 것처럼 박순을 죽이길 청했어.
잠 좀 자자!
죽이옵소서!
처음에는 태조가 허락하지 않다가 나중에는 강을 건넜을 것으로 생각하고는 죽이는 걸 허락하지.
이때쯤이면 다 건넜겠지?
하지만 신하들이 추격해 강가에 도착했을 때 박순은 배에 막 오르던 참이었어. 뭐야.
허걱
결국 신하가 그를 붙잡아서 죽이는데, 박순은 태조가 한양으로 돌아간다는 약속은 지켜달라고 얘기해.
약속
후에 이 사실을 안 태종은 그를 의롭게 여겨 자손에게 관직을 내려주게 돼.
사실 태종, 자신의 잘못 때문에 박순이 죽게 되었으니 마음이 좀 미안하고, 안타까웠겠지?
미안!
뻑
그리고 태조도 한양으로 돌아오게 되지.
아부지이~
흠~
그런데 태종은 왜 계속해서 태조를 한양으로 데려오려 했을까?
효도 하려고?
만약 효성이 지극했다면 애초에 왕자의 난 같은 것은 일으키지도 않았을 거야.
다행이다.
휙
이 당시 함경도의 안변부사는 조사의라는 사람이었는데, 이 사람이 난을 일으켰어.
와아
와
그는 태종을 몰아내고 태조를 다시 왕위에 올리고자 했는데, 사실은 그 배후에 태조가 있었다고 해.
잘 좀 해라.
넷!

태조는 총애하던 방석을 죽인
태종을 용서할 수 없었지.
후레 자식!
이에 태종은 이 반란의 배후인 태조를
회유하기 위해 박순을 보냈던 것이고,
박순!
펑
이 사실을 안 조사의의 부하들이
그를 쫓아가 죽였던 거야.
흥~
하 하 하
그후 조사의의 난은 실패로
끝났어.
뚝
태조도 더 이상 버틸 수가 없게
되면서 한양으로 돌아오게 된 거지.
흥!
결국은 함흥차사 이야기는
태조와 태종, 부자(父子) 간의
권력다툼에서 비롯된 이야기인
셈이야.
그렇구나….
태조 이성계는 자신이 함경도 출신
이었기 때문에 조선을 세울 때 그의
주변에 평안도 · 함경도 출신의
용맹한 부하장수들이 많았어.
하하
하하
와글
그런데 정작 나라를 세우고서는
이 지방 사람들을 크게 쓰지
말라고 얘기하지.
잉!
NO!
이 때문에 이 지방에는 높은 벼슬을
한 사람이 적었는데, 왜 태조는 그런
말을 했을까?
어흠
와
그 이유 중의 하나가 앞에서도
얘기했지만 평안도 · 함경도 지방이
국경 지방이었기 때문일 거야.
조선
?
조선
특히 조선 초에는 이 지역에 조선
사람과 여진족이 섞여 사는 데다가,
풍습도 비슷했기 때문에 믿을 수가
없었던 것이지.
여진
더군다나 이 곳 사람들은
무예에 능했어.

믿을 수 없는 사람들이 무예에 능한 데다 높은 벼슬까지 했을 경우, 아무래도 배신의 위험이 컸겠지.
그리고, 실제로 그렇게 한 사람이 있었고
여러분은 그 사람이 누구인지 알겠지?
!
바로 그 대표적인 사람이 태조 이성계, 자신이었던 거야.
자신이 고려를 무너뜨리고 나라를 세운 것처럼 다른 함경도 사람이 또 누가 그렇게 할지 모른다고 생각했던 거지.
그런 이유로 평안도 · 함경도에는 높은 벼슬을 한 사대부 집안도 없고,
툭
휘이이이이잉
풍습도 다르기 때문에 서울 사대부들은 이 지방 사람과 혼인을 하거나 친하게 지내지 않았어.
함경도는 안 돼!
당연히 이 지방에는 사대부가 사라졌지.
뿅!
안돼! 남은 것마저
그러다 보니 서울 사대부 중에 이곳으로 가서 사는 사람도 없고 말이야.
함경도 / 평안도
우리 아버지가 저긴 가지 말랬어.
그렇기 때문에 《택리지》에서는 평안도 · 함경도가 살 만한 곳이 못 된다고 얘기한 거야.
사대부에게 말이지.
함경도

조선 시대의 무역

조선에서 가장 중요한 경제 활동은 농업이었습니다. 반면 상공업활동은 국가에서 정책적으로 제한했죠. 그렇기 때문에 조선 초기에는 무역이 엄격히 제한되어 주로 국가에 의해 이루어졌습니다. 이를 공무역公貿易이라고 합니다. 조선 시대의 무역 상대국은 대개 중국이거나 혹은 일본이었답니다.

▲
조선 사신을 맞이하는 명나라 관리.

중국과의 무역은 흔히 조공무역, 혹은 증여무역이라고 하는 형태로 이루어졌습니다. 조선에서 중국에 조공을 바치면 그것으로 끝나는 것이 아니라 중국에서 그에 해당하는 물품을 주게 되어 있었습니다. 즉 조선으로서는 우리나라에서 나는 물건을 중국에 보내고 필요한 물건을 받아오는 형태였기 때문에 무역이라고 볼 수 있었던 겁니다. 이것은 우리나라만이 아니라 중국과 무역을 하는 나라는 사정이 거의 비슷했습니다. 이때 중국에 사신으로 가는 사람들 속에는 사신뿐만이 아니라 통역을 담당하는 역관과 그 밖의 관리들이 포함되어 있었습니다. 이때 이들이 가져가는 물건도 중국에서 다른 물건들과 교환할 수 있었는데, 이를 사무역私貿易이라고 합니다.

譯官

▲
조선통신사 일행을 따라가는 역관

이렇게 역관에 의해 주로 행해졌던 중국과의 무역은 임진왜란 중 식량을 확보하기 위해 중강에 개시開市, 즉 시장이 열리면서 민간 무역이 이루어지게 되었습니다. 이러한 개시는 두 나라의 사정에 따라 폐지된 적도 있지만 중강 이외에 회령, 경원 등에서도 열렸고 참가하는 상인이나 교역상품도 많아지게 되었습니다. 하지만 두 나라 정부의 통제를 받아 제약이 많은 만큼 밀무역이 성행하게 되면서 후시무역이 생겨나게 되었습니다. 그 대표적인 후시가 바로 책문 후시입니다. 조선의 사신이 왕래하는 기회를 이용하여 의주 상인인 만상이 사신 일행에 끼어 중국의 책문에서 청나라 상인과 무역을 하였는데, 이를 책문 후시라 합니다. 이에 정부에서는 국가의 감독 하에 이를 인정하는 대신 세금을 받게 됩니다. 그들은 금, 은, 인삼, 쇠가죽 등을 팔았으며, 대신에 청국 상인들로부터 비단, 약재, 문구, 보석류 등을 들여왔습니다. 책문 후시 이외에도 중강 후시, 회동관 후시 등이 있었답니다.

일본과의 무역은 조선 세종 때 소규모로 공무역이 있었으나 중종 때 없어졌습니다. 그러다 임진왜란 이후 다시 무역이 이루어지게 되었는데, 주로 경상도 동래, 오늘날의 부산에서 이루어졌습니다. 이 동래에 왜관이라고 하는 곳을 만들고 일본인들이 거주하도록 허가를 하였답니다. 그리고 이곳에서 일본과의 무역을 담당하도록 하였는데, 대부분의 일본 사람들은 대마도 사람들이었습니다. 일본과의 무역 역시 공무역과 개시무역, 그리고 후시무역이 동시에 존재하였습니다. 공무역은 역관들이 주로 담당한 반면, 개시무역은 동래상인들이 국가로부터 허가를 받고 무역에 종사하였습니다. 동래 상인들은 개시무역을 통해 일본으로부터 은을 사들였고, 이때 은에 대한 지불로 인삼을 사용했습니다. 이렇게 사들인 은은 다시 중국의 생사를 사들이는 데 사용되었답니다. 즉 조선으로서는 은을 사서 다시 중국에 파는 일종의 중개무역을 했던 겁니다. 이 중개무역을 담당한 상인이 바로 개성상인입니다.

▲ 보부상은 등짐의 한계 때문에 많은 양을 거래하지는 못한 반면 매우 다양한 물건들을 전국 구석구석까지 팔러 다녔다. 상을 팔러 다니는 보부상.

구한말 도기 시장. ▼

개성상인은 인삼을 통해 동래상인이 은을 들여오도록 합니다. 그런 후 개성상인은 그 은과 국내에서 생산한 물품을 만상에게 넘겨서 중국의 물품과 교환을 하

고, 이 물품을 다시 개성상인이 국내에 팔고는 했던 겁니다. 이 과정에서 역관들이 큰 이익을 보기도 했었습니다. 아무래도 역관이 참여하지 않으면 통역이 불가능하여 아무것도 할 수 없었기 때문입니다.

그러나 이러한 무역 구조는 17세기 말 이후 중국과 일본이 직교역을 하면서 쇠퇴했습니다. 중국의 청나라가 해금령을 실시하면서 청나라의 배가 직접 일본을 왕래하기 시작했던 겁니다. 이후 조선에서는 일본에 쇠가죽을 팔고, 일본으로부터는 구리를 수입하였습니다. 그러나 이러한 상인 집단들은 개항 이후 일본의 경제적 침투가 이루어지며 점차 쇠퇴되어 갈 수밖에 없었습니다.

▲ 과연 개성상인이 유럽에까지 진출했을까? 사진은 루벤스의 '한복을 입은 남자'.

제4-3장 황해도, 세상 사람들이 다투게 될 곳

신의주
함흥
평양
황해도
해주
춘천
한양

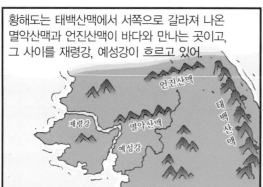

황해도는 태백산맥에서 서쪽으로 갈라져 나온 멸악산맥과 언진산맥이 바다와 만나는 곳이고, 그 사이를 재령강, 예성강이 흐르고 있어.

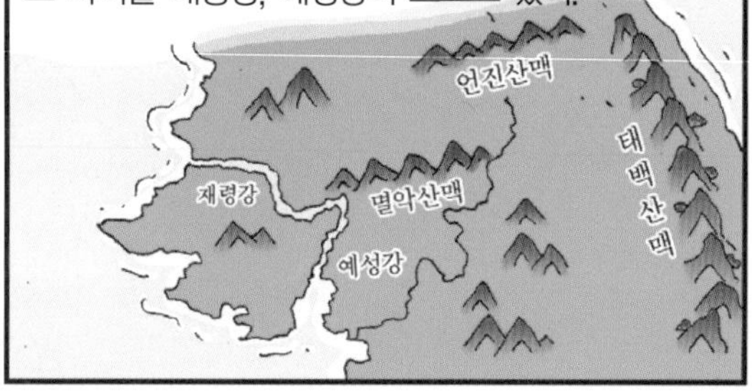
언진산맥
태백산맥
재령강
멸악산맥
예성강

사람들은 거주지의 자연환경에 따라 살아가는 모습이 달라지는데, 《택리지》에서는 황해도를 크게 세 지역으로 구분하여 살펴보고 있어.

택리지

그 세 지역은 바로 황해도 북동부의 산악 지역, 서해와 접해 있는 해안 지역, 그리고 재령강과 예성강 가에 있는 평야 지역이야.

산악지역
해안지역
평야지역

여러분도 이 세 지역의 사람들이 자연환경에 따라 살아가는 모습이 어떻게 차이가 나는지 관심 있게 보면 좋을 것 같아.

해안
산악
평야
팍

황해도의 북동부 지역은 언진산맥과
멸악산맥으로 인해 산세가 험하고
첩첩산중이야.
언 진 산 맥
멸 악 산 맥
《택리지》에서는 이곳에 위치한 고을(수안, 곡산, 신계, 토산)의
백성들이 '어리석다'라는 표현을 쓰고 있는데, 아마도 산골에
살다보니 배우지 못한 사람들이 많았기 때문이겠지.
팍
'어리석다'라는 표현을 '순박하다'라는
뜻으로 해석하면 될 것 같아.
농사 밖에는….
헤헤
아는 게 없어요~
또한 산세가 험하기 때문에 도적들이 숨어 살기에 좋아서 도적은
많으나, 선비와 높은 벼슬을 한 사람들은 적다고 얘기하고 있지.
뭘 봐!
우리 야그 하는 거 같은디~
그런데 이곳의 도적이 많은 이유는 단순히
산세가 험하기 때문만은 아니야.
산적주의
산세가 험하기로는 함경도나
강원도가 더하지.
쪼그만 게
그런데도 함경도나 강원도에 도적이 많지 않은 이유는 무얼까?
오늘날에도 도둑들이 많은 곳은 시골이 아니라 사람들이
많이 사는 대도시인 것처럼,
히히~
삐뽀
현상수배
도적들도 먹고 살기 위해서는 물건을 약탈할 수
있는 곳에서 가까워야 할 거야.
털어야지

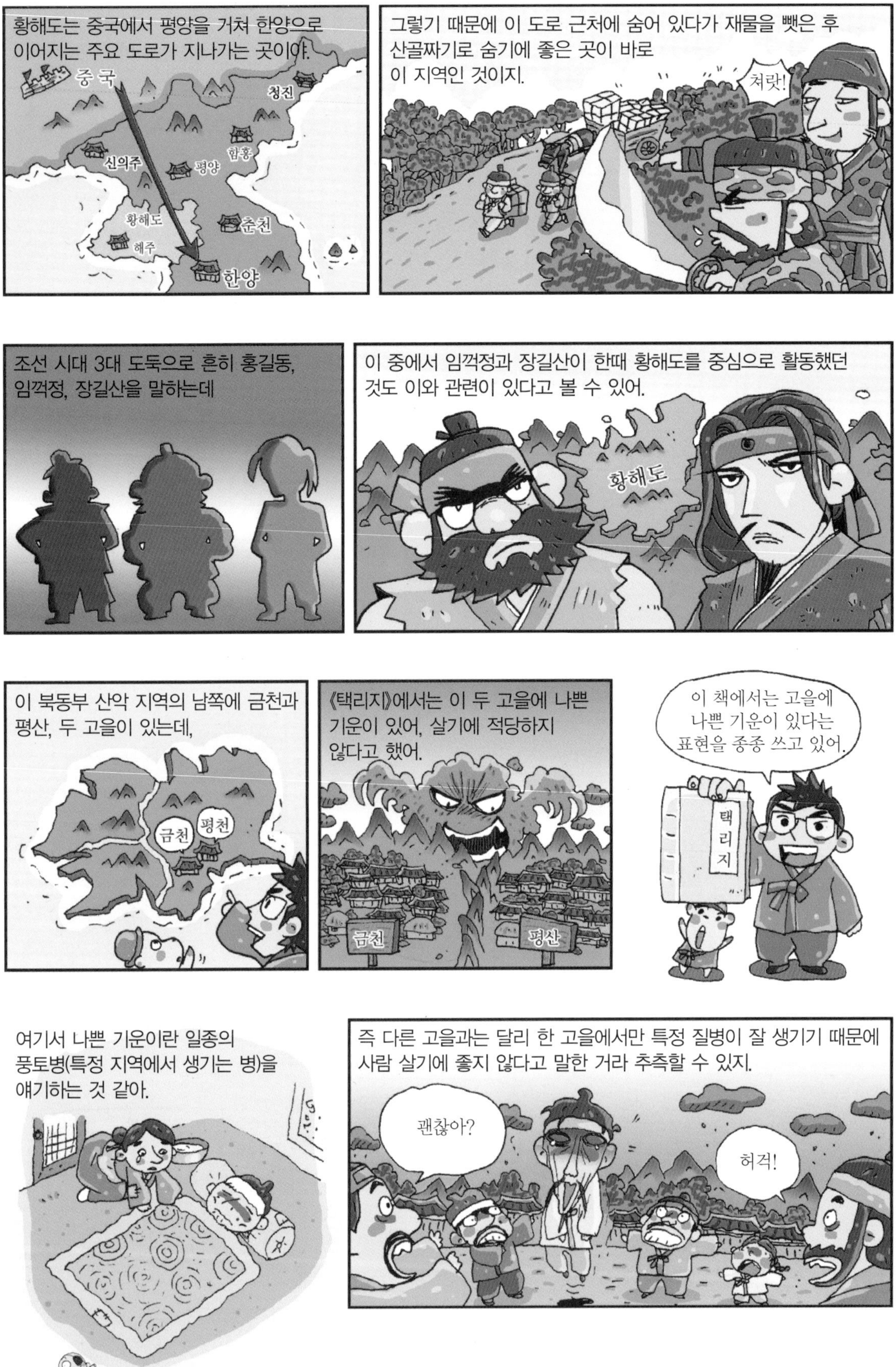

황해도는 중국에서 평양을 거쳐 한양으로 이어지는 주요 도로가 지나가는 곳이야.
중국
청진
신의주
평양
함흥
황해도
춘천
해주
한양
그렇기 때문에 이 도로 근처에 숨어 있다가 재물을 뺏은 후 산골짜기로 숨기에 좋은 곳이 바로 이 지역인 것이지.
처랏!
조선 시대 3대 도둑으로 흔히 홍길동, 임꺽정, 장길산을 말하는데
이 중에서 임꺽정과 장길산이 한때 황해도를 중심으로 활동했던 것도 이와 관련이 있다고 볼 수 있어.
황해도
이 북동부 산악 지역의 남쪽에 금천과 평산, 두 고을이 있는데,
금천
평천
《택리지》에서는 이 두 고을에 나쁜 기운이 있어, 살기에 적당하지 않다고 했어.
금천
평산
이 책에서는 고을에 나쁜 기운이 있다는 표현을 종종 쓰고 있어.
택리지
여기서 나쁜 기운이란 일종의 풍토병(특정 지역에서 생기는 병)을 얘기하는 것 같아.
즉 다른 고을과는 달리 한 고을에서만 특정 질병이 잘 생기기 때문에 사람 살기에 좋지 않다고 말한 거라 추측할 수 있지.
괜찮아?
허걱!

황해도 북쪽에는 재령강이 흐르고 있는데, 대동강으로 흘러들지.
대동강
재령강
이 재령강이 흙을 상류에서 운반해서 하류에 쌓아놓아 만들어진 평야가 바로 재령평야인데, 이러한 평야를 충적평야라고 해.
이런 평야는 토양이 비옥하기 때문에, 벼농사가 아주 잘 되어서 사람들이 살기에 좋은 곳이지.
특히 이 곳에서 생산되는 쌀은 길고 찰져서 임금님께 바칠 정도였다고 해.
맛있다
더군다나 이 지역은 근처 산지에서 납과 쇠가 많이 나와 나라에서도 중요하게 여기는 곳이었어.
깡
깡
재령평야는 산맥에서 갈라져 나온 산들이 둘러싸고 있는 형태인데,
재령평야
재령강을 경계로 동쪽지역과 서쪽지역으로 나뉘고는 있지만,
안악
문화
신천
재령
재령강
황주
봉산
서흥
평산
그 외 다른 지역과는 산지로 구분되어 있다보니 두 지역의 풍속은 비슷한 편이야.
이 재령평야에 있는 고을 중에서 가장 큰 고을이 바로 황주야.
쑥 욱
황주
안악
재령
평산
문화
신천
봉산
서흥
조선 시대에는 황주에 병마절도사가 있는 병영을 설치하였는데,
하
하
하
핫
그만큼 이 지역이 군사상 중요한 곳이란 얘기지.
軍
中
황주

우리나라 동쪽 지역은 높은 산지로 되어 있기 때문에 중국으로 가는 길은 주로 한양 – 황주(황해도) – 평양(평안도) – 중국으로 이어져 있어.

한양
황주
평양
중국

그렇기 때문에 북쪽에서 우리나라를 육지로 침입할 때도 꼭 거쳐야 되는 곳이 이 곳이지. 실제로 여기를 통해 몽고군과 청나라 군대가 들어왔어.

한양
몽고
청나라
황해도 황주
평안도 평양

이곳을 지나면 바로 한양으로 연결되기 때문에, 이곳은 꼭 지켜야만 하는 군사적 요지일 수밖에 없었지.

한양
쿵
와아
와아
으아아아
황주
쿵

만약 이곳이 평야지대였다면 방어하기에 대단히 불리할 텐데, 다행히 황해도는 태백산맥에서 갈라져 나온 산맥들이 서해 바다 근처까지 이어져 있기 때문에 산들이 많아서 방어하기에 매우 유리했어.

와아
와아
황주
반드시
막아야 한다!

그래서 주변 산지에 많은 성곽을 쌓고 이 지역을 방어할 군대도 주둔시켰는데, 그곳이 바로 황주였던 거야.

황주
와
와아아
와아
와글 와글

황해도의 서쪽은 서해에 접해 있기 때문에 바닷가에 있는 고을의 백성들은 어업이나 배를 이용한 교역을 하기에는 좋았어.

하지만 땅이 메말라 농사 짓기에는 좋지 못하다고 하지.
시들

그러나 풍천과 은율만은 땅이 기름져서 논과 밭의 생산량이 아주 높고 면화 재배도 잘 돼.
쑥
쑥
풍천
은율

그 수확량은 우리나라 최대 쌀 생산지인 남부 지방에서도 보기 드문 정도라고 말하고 있지.
허걱
헉

그렇다 보니 이곳의 농민이나 지체 낮은 집안도 모두 부유해서 스스로 선비라고 말한다고 《택리지》에서는 언급하고 있는데, 이것은 돈이 좀 있다고 해서 선비 흉내내는 것을 비꼬는 거야.
개나 소나 선비군!
어험!
에헴!

이 바닷가 고을 중에서 가장 큰 고을이 해주인데, 해주는 황해감사가 있는 곳이야.

해주
황해감사

이 황해감사를 했던 사람 중에서 가장 유명한 사람이 바로 율곡 이이야.
5,000원 지폐에 그려져 있는 초상화의 주인공이야.
한푼만 줍쇼~

율곡 이이가 감사를 할 때 이곳에서 석담천석을 발견했다고 하는데, 이는 경치 좋은 계곡을 말해.

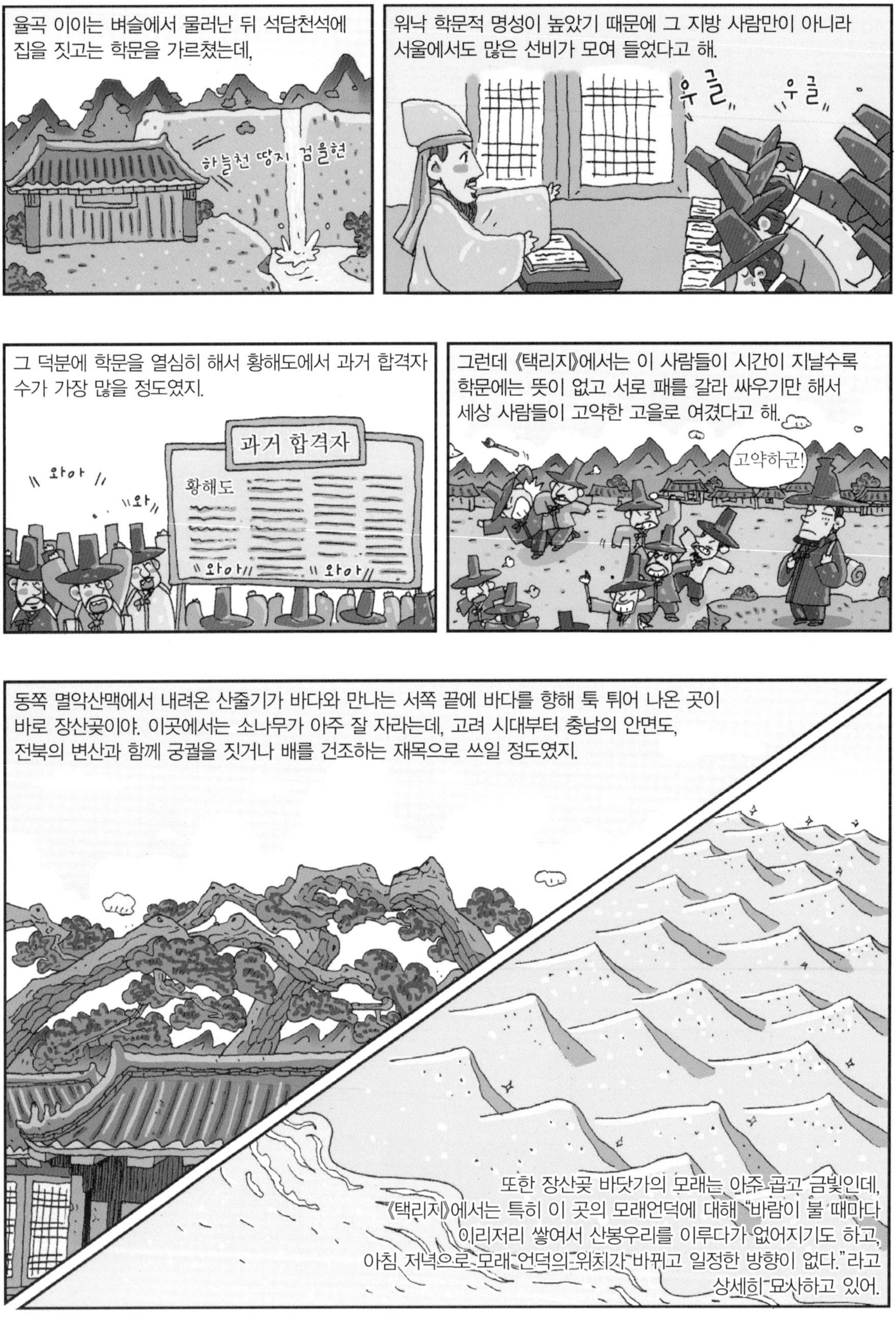
율곡 이이는 벼슬에서 물러난 뒤 석담천석에 집을 짓고는 학문을 가르쳤는데,
하늘천 땅지 검을현
워낙 학문적 명성이 높았기 때문에 그 지방 사람만이 아니라 서울에서도 많은 선비가 모여 들었다고 해.
우글 우글
그 덕분에 학문을 열심히 해서 황해도에서 과거 합격자 수가 가장 많을 정도였지.
와아
와
과거 합격자
황해도
와아
와아
그런데 《택리지》에서는 이 사람들이 시간이 지날수록 학문에는 뜻이 없고 서로 패를 갈라 싸우기만 해서 세상 사람들이 고약한 고을로 여겼다고 해.
고약하군!
동쪽 멸악산맥에서 내려온 산줄기가 바다와 만나는 서쪽 끝에 바다를 향해 툭 튀어 나온 곳이 바로 장산곶이야. 이곳에서는 소나무가 아주 잘 자라는데, 고려 시대부터 충남의 안면도, 전북의 변산과 함께 궁궐을 짓거나 배를 건조하는 재목으로 쓰일 정도였지.
또한 장산곶 바닷가의 모래는 아주 곱고 금빛인데, 《택리지》에서는 특히 이 곳의 모래언덕에 대해 "바람이 불 때마다 이리저리 쌓여서 산봉우리를 이루다가 없어지기도 하고, 아침 저녁으로 모래 언덕의 위치가 바뀌고 일정한 방향이 없다."라고 상세히 묘사하고 있어.

이는 장산곶의 바닷바람이 세서 모래 언덕의 위치가 자주 바뀌는 모습을 설명한 것인데, 이러한 모래언덕을 사구(砂丘)라고 해.
이러한 규모의 사구는 오늘날 우리나라에서 몇 군데밖에 없는 특별한 것인데, 남한에서는 충남 태안 신두리의 사구가 유명해.
이렇게 모래가 많고 고운 지역이 현재에는 어떻게 이용되고 있을까? 그래, 당연히 해수욕장이겠지. 그래서 이 장산곶이 있는 해변에는 몽금포라는 유명한 해수욕장이 있어. 현재 가볼 수는 없지만 말이야.
금지구역이라요~
이 해주 동쪽에 연안과 백천이란 고을이 있는데,
연안
백천
예성강을 흐르는 연백평야가 있는 지역이야. 《택리지》에서는 바로 이 지역을 황해도에서 가장 살 만한 곳으로 적고 있어.
펑
펑
연안
백천
살 만한 곳 공동 1위
예성강을 건너면 바로 경기도이기 때문에 한양에서 옮겨와 머무는 선비도 많다고 해.
경기도
황해도
예성강
한양
다만 땅이 메마르고, 가뭄이 잦아 면화 가꾸기는 적당하지 않다고 하는데, 이것은 이 지역이 평야 지역임에도 물을 이용할 수 있는 관개시설이 부족했음을 뜻해.
하지만 예성강과 바다가 가까워 사람들이 배를 이용해 각종 산물을 사고 팔아 큰 이익을 얻는다고 하지.
예성강
바다

그러면 황해도는 사대부들이 살기에는 어떠할까? 앞에서 평안도, 함경도가 우리나라 국경지방으로 다툼이 잦은 곳이라 무예를 숭상한다고 했었잖아.
그 두 지방과 가까운 황해도에서도 활쏘기, 말 타기를 즐기는 반면, 학문하는 선비는 적다고 하고 있어.
피융
학문
팡
또한 황해도가 산과 바다 사이에 끼어 있는 모습이어서, 각종 산물들을 거래해 부자는 많은 편이지만 사대부 집안은 적다고 하지.
그러나 황해도가 사대부가 살기에 꼭 나쁜 건 아니야. 재령평야에 있는 고을들은 땅이 기름지고, 바닷가의 고을들은 경치가 좋다고 하는 것을 보면 말이야.
경치 좋다~
그런데 황해도의 단점은 나라에 큰 난리가 날 경우 이 곳이 반드시 전쟁터가 된다는 거야.
황해도는 방어를 하기에 대단히 좋은 군사 요충지야.
그렇기 때문에 전쟁이 나면 반드시 차지하려고 다투는 곳이지.
으르릉
내놔!
으르릉
황해도
또한 황해도는 넓은 들과 기름진 벌판에, 물산도 풍부하니 전쟁에 필요한 물자를 공급하기에도 좋아 더욱 중요한 곳이지.
덤벼!
배고파….
황해도
결국 이곳에 사는 백성들은 늘 전쟁의 위험에 시달리게 되니, 이것이 황해도의 단점이라는 것이지.

제4-4장
강원도, 경치가 수려한 곳

강원도는 보통 우리나라의 등줄기라고 부르는 태백산맥이 남북으로 지나가는 곳이야.

그렇기 때문에 강원도를 구분할 때 태백산맥에 있는 대관령을 경계로 동쪽 지방을 영동지방, 서쪽 지방을 영서지방이라고 하지.
영서지방
태백산맥
영동지방

태백산맥이 동해 쪽으로 치우쳐서 자리 잡고 있기 때문에 영동지방의 산지는 경사가 급하고, 평야는 해안가를 따라서 좁게 분포하고 있어.

영동지방에는 아홉 고을(흡곡, 통천, 고성, 간성, 양양, 강릉, 삼척, 울진, 평해)이 있는데, 남북으로 해안가를 따라서 있어.
따라 오세요~
해안선
삼척
평해
울진
강릉
통천
양양
간성
고성
흡곡

이 고을의 서쪽에는 태백산맥을 형성하는 금강산, 설악산, 오대산 등 경치 좋은 유명한 산이 많아.
오호
눈부셔

동쪽에는 동해가 있는데 조수가 없고 바다가 깊어 바닷물이 흐리지 않아 벽해(푸른 바다)라고 불러.

반면 서해는 여러 강에서 쓸려 나온 엄청난 양의 흙으로 인해 물이 흐려서 황해(누런 바다)라고 부르지.

《택리지》에서는 영동지방은 산골짜기의 돌과 물이 운치가 있고 이름난 호수와 기이한 바위가 많으며 산 높이 올라가 보면 푸른 바다가 펼쳐져 있어서 "그 경치가 실로 전국 으뜸이다."라고 말하고 있어.

경치가 실로 으뜸이군!

어때? 이렇게 경치가 좋으니 당연히 이러한 경치를 즐길 수 있는 누대와 정자도 많이 지었겠지? 이 영동지방에 있는 아름다운 경치들을 흔히 관동팔경이라고 하는데, 강원도에서 가장 아름다운 여덟 개의 경치란 말이지.

양양 청초호
강릉 경포대
삼척 죽서루
간성 청간정
흡곡 시중대
통천 총석정
고성 삼일포
울진 망양정
쿵~

관동팔경에 모두 가 본 사람?
킥킥
힘들다
아마 없을 거야!
절대로
왜냐하면 시중대, 총석정, 삼일포는 현재 북한에 있기 때문이지!
와~
팡

이렇게 경치가 아름답고 신비한 곳에는 아마 신선이 살고 있을지도 몰라.

《택리지》에서도 간혹 이곳에 신선과 관련된 놀라운 이야기가 전해 내려온다고 하고 있어.

금도끼가 네 거냐 은도끼가 네 거냐….
펑
펑
펑
역시 강원도 최고~

이렇게 경치 좋은 곳에서는 신선만 사는 것이 아니라 이곳을 즐기고 싶어하는 사람들도 많을 거야.
3번
2번
1번
줄을 서시오.
경치좋은곳
오늘날에도 여름 휴가 때면 이곳으로 휴가가는 차량으로 고속도로가 꽉꽉 막힐 정도이니까 말이야.
빵
빵
빵
강릉 100KM
이것은 조선 시대에도 마찬가지였나 봐.
빵
빨리 좀 가자
왜 이렇게 막혀
《택리지》에서는 이 지방 사람들이 노는 것을 좋아해서 노인들이 기생, 악사와 함께 먹을 것을 짊어지고 산이나 물가를 찾아 마음껏 노는 일을 큰 일로 여긴다고 해.
경치 좋구나!
에헤라디여~
그렇다면 노인만 그러냐? 그 자녀들도 이에 물들어 학문에 몰두하는 일이 적어 과거에 급제한 사람이 적다고 하지.
학문
친구야, 놀러 가자.
왜 그런지 이해가 가지? 사실 놀면서 공부 잘하기 힘들잖아. 더구나 주변에 놀 거리가 많고, 주변 사람들이 모두 놀기 좋아한다면 더더욱!
학문
휙
인생 뭐 있어? 놀아!
다만 강릉에서는 과거에 급제한 사람이 제법 나왔다고 하지.
에헴
다 율곡 이이 때문이지~
율곡 이이는 외가가 강릉이어서 이곳에서 태어났고, 《홍길동전》을 쓴 허균도 이곳 출신이야.
고향 사람이 지은 책이구먼~
허허
홍길동전
허균 지음
히~

그러면 이렇게 놀기 좋은 곳이니 사람 살기에도 좋은 곳이었을까?
쿨쿨
《택리지》에서는 땅은 좁고 메말라서 농사가 잘 되는 편이 아니지만,
요기다 뭘 심어!
바다와 인접해 있기 때문에 고기잡이, 해초 따기, 소금 굽기로 먹고는 살 수 있다고 해.
바다가 있어 다행이여
다만 이곳은 한양에서 너무 멀어 한 때 놀러 간다면 모를까 오래 살 곳은 못 된다고 하고 있어.
이제 노는 것 도 지친다
집에가자
영서지방은 한강이 시작되는 곳인데, 《택리지》를 비롯해 옛 문헌에 의하면 "오대산의 서쪽 기슭에서 한강이 시작된다."라고 하고 있어.
오대산
이 샘물을 '우통수' 라고 하는데
우리나라 3대 명수에 속하지.
오늘날 실제 조사 결과에 의하면 한강의 발원지는 이곳이 아니라 태백 부근의 검룡소라고 해.
동해
경기도
강원도
검룡소
탁
태백
툭
충청도
경상도
우통수에서 흘러나온 한강은 정선, 영월 같은 고을을 흘러 지나가.
정선
동해
검룡소
영월
태백
정선은 좁은 골짜기에 형성된 고을이라 논이 별로 없지만 자급자족이 가능해서 은자가 살 만한 곳이라 말하고 있는데,
즉 세속이 싫은 사람들이 숨어 살기에는 괜찮다는 것이지.
세상이 싫다.

영월 청령포에는 단종을 모신 장릉이 있어.
단종은 어린 나이에 왕위에 올랐으나 삼촌인 수양대군 (세조)에게 왕위를 빼앗기고 이곳으로 귀양을 왔어.
내놔!
삼촌!
이 청령포라고 하는 곳이 강에 의해 삼 면이 둘러싸여 있는 데다 나머지 한 면마저도 절벽으로 막혀 있어서 배를 이용해야만 외부와 연락이 되는 곳이야.
곧 감옥과 다름없는 곳이지.
단종은 삼촌에게 왕위를 빼앗긴 것도 억울한데, 이 먼 곳에 쫓겨 와서는 결국 죽임까지 당했으니 그 억울함이 어떠했을까?
ㅠㅠ
억울해
쯧쯧
단명했네
단종
당연히 뜻 있는 사람들이 단종을 왕위에 복귀시키려고 계획을 세웠지만 결국에는 실패해서 모두 죽임을 당했지.
왕을 복직 시켜라!
뭐야!
이 사람들을 사육신이라고 하는데, 사육신의 묘는 현재 서울 동작구에 있어.
나중에 숙종은 청령포에 사육신의 사당을 세우고, 단종을 다시 왕위에 복귀시켜 주었는데 이중환은 이것을 대단히 장한 일이라고 말하고 있지.
만고의 충신이로다.

강원도 북쪽 회양에서 남쪽 정선에 이르는 지역은 태백산맥의 줄기에 해당하는 곳으로 험한 산과 깊은 골짜기로 이루어져 있어.
고도가 높기 때문에 기후가 차갑고, 산지라 땅은 좁고 척박하여 논농사가 어려워.
그래서 사람들은 불을 질러서 밭농사를 짓는 화전을 많이 하는데, 그만큼 먹고 살기 힘든 곳이란 얘기지.
화르르르
배고파~
《택리지》에서는 이 곳의 경치가 뛰어나기는 하지만 사람들은 배우지 못해 어리석으며, 먹고 살기도 힘겨우니 잠시 전쟁을 피해 살기에는 좋으나 오랫동안 대를 이어 살 만한 곳은 아니라고 하고 있어.
여기 마을 이름이 어떻게….
뭐였더라?
바보구먼…
다만 춘천과 원주는 다소 괜찮은 편이라 하고 있는데, 춘천은 두 강이 만나 평야가 넓고 비옥하며, 강산이 맑아 사대부들이 대를 이어 살고 있다고 해.
춘천
원주
원주는 영동지방과 경기도의 사이에 해당되는 곳인데, 동해에서 나는 생선, 소금, 인삼, 목재가 모여드는 곳이어서 강원도에서 가장 큰 마을이 되었다고 하지.
원주
한양
강릉
으하하 내가 젤 크다
특히 난리가 나면 산골짜기가 가까워 피하기 좋고,
어디 갔지?
세상이 평안하면 한양과 가까워 벼슬에 나아갈 수 있어 한양의 사대부들이 살기 좋아하는 곳이라고 하는데,
한양
원주
상황에 따라 다양한 선택을 할 수 있어서 좋다는 얘기겠지?
휙
으앗

이처럼 《택리지》에서는 '전쟁을 피해 살기에 좋은 곳'에 대한 언급이 자주 등장해.

전쟁을 피해
살기 좋은 곳
전쟁 피해
없는 곳
…
전쟁
전쟁
택리지

조선 시대에 일어났던 두 번의 커다란 전쟁인 임진왜란과 병자호란으로 백성들이 입은 피해와 고통은 말로 설명하기 어려울 정도였어.
병자 호란
임진왜란

이 때문에 백성들 사이에서는 전쟁이 일어나도 피해가 없는 곳에 대한 관심이 부쩍 증가할 수밖에 없었지.
어딨지?

이 책에서도 사람 살기 좋은 곳을 선택할 때 고려해야 할 조건으로 '난을 피할 수 있을 만한 곳'에 대해 자주 언급하고 있는데, 강원도가 아무래도 산지가 많다보니 숨어살기 좋을 수밖에 없었겠지.
빨리 와!
저기다!

국민이 국가에 내는 돈을 세금이라고 하는데, 오늘날에는 돈으로 내지.
세금 내러
왔어요.
세금 내는 곳
네.

그런데 조선 시대에는 오늘날과 다르게 쌀로 내는데, 이러한 쌀을 세곡이라고 해.
세곡이요.
음~

세곡은 나라에서 쓰는 것이기 때문에 한양으로 운반을 해야만 하는데,

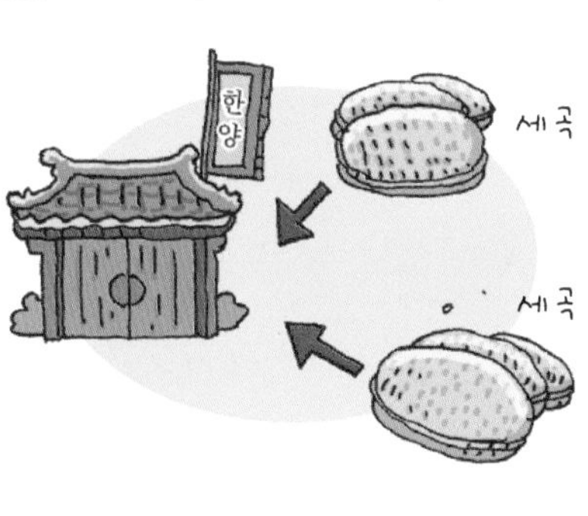
한양
세곡
세곡

무겁기 때문에 운반할 때 배를 이용할 수밖에 없었어.
바람도 좋고….

즉 각 고을에서 걷은 세곡을 배가 있는 항구까지 가져오면 그 항구에서 배를 이용해 한양으로 운반하는 거지.

한양이 보인다!
한양

남한강에서도 영동지방과 영서지방의 고을에서 걷은 세곡을 보관하던 곳이 있었는데 그곳이 바로 원주 근처의 흥원창이란 고을이야.

흥원창
남한강
여주

이곳에 모인 세곡은 남한강을 이용해 한양으로 운반했어.

한양
남한강

이런 곳은 교통이 편리하기 때문에 사람과 물자가 모여서 결국 큰 고을을 형성하기 마련이지.

쑤우욱

그러다 보니 이 책에서는 흥원창에 사대부들도 많이 살고, 배로 장사하여 부자가 된 사람도 많다고 적고 있어.

흥원창

춘천 이북의 강원도 지역은 대체로 한탄강과 북한강의 상류에 위치하는 고을들(양구, 철원, 평강, 안협 등)이야.

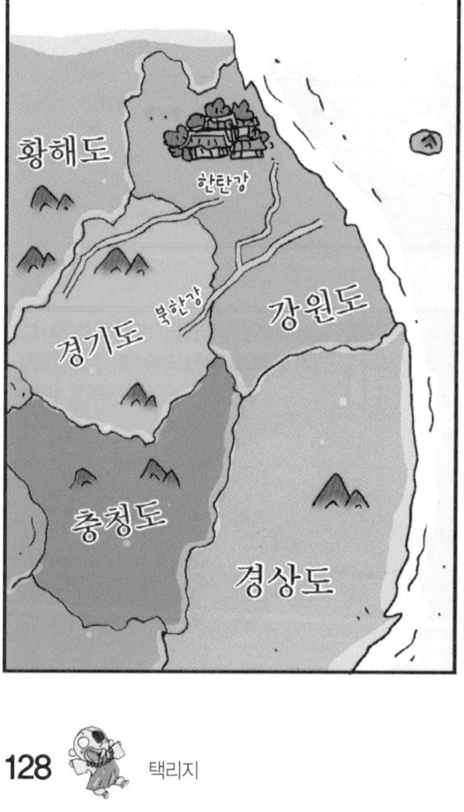
황해도
한탄강
북한강
경기도
강원도
충청도
경상도

특히 철원은 산속 넓은 들판에 자리잡고 있기 때문에 후고구려(태봉)의 왕, 궁예가 도읍으로 정했던 곳이야.

태봉

궁예는 신라의 왕자로 알려져 있는데, 젊어서는 무뢰한*이었다고 해.

이놈이! 내가 신라의 왕자야.

***무뢰한** – 성품이 막되어 예의와 염치를 모르며, 일정한 소속이나 직업이 없이 불량한 짓을 하고 다니는 사람.

후에 후고구려의 왕이 되었으나 성격이 잔인하여 부하들에 의해 쫓겨났고, 왕건이 부하들의 추대로 왕이 되어 고려를 건국하였지.

만세
만세

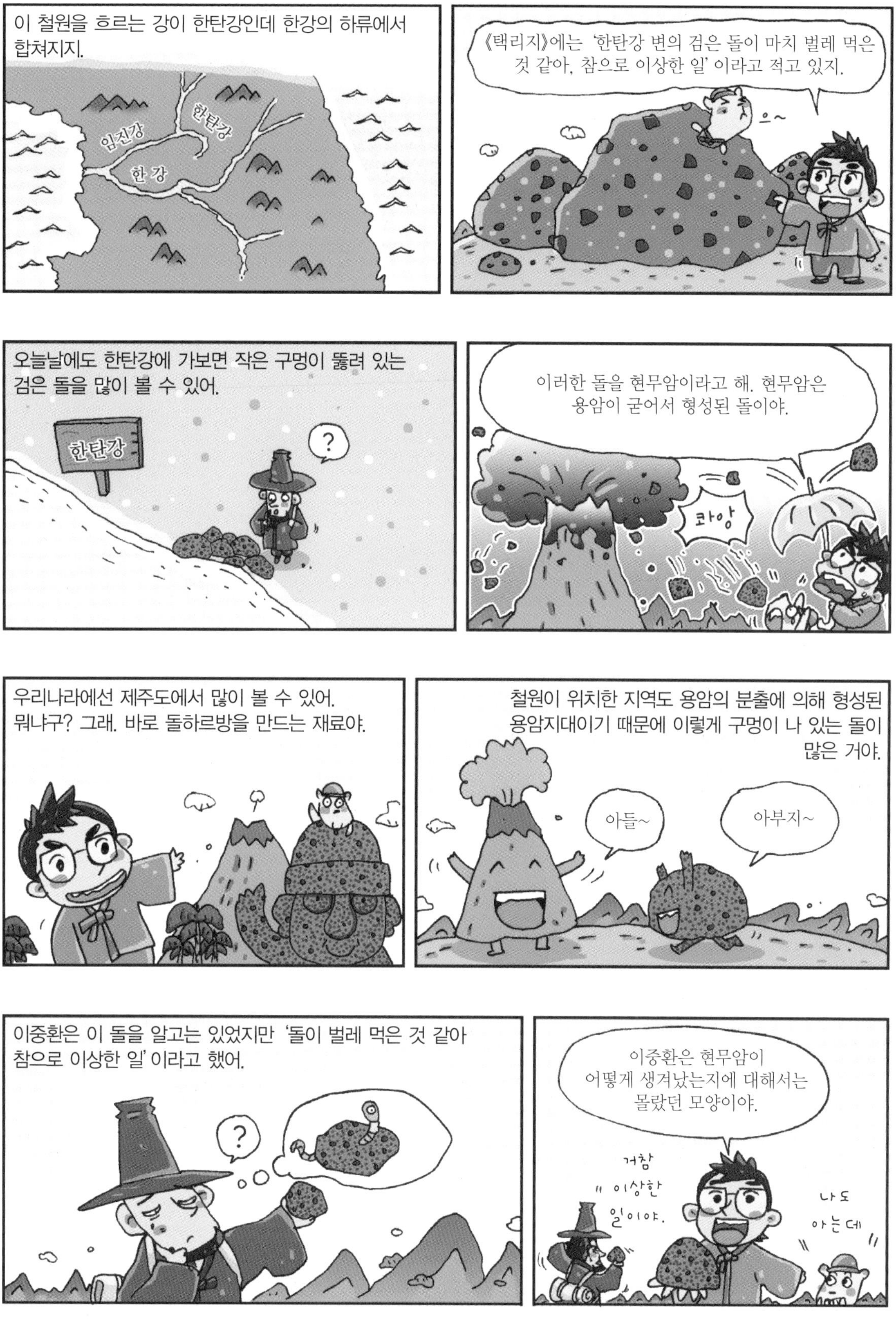

이 철원을 흐르는 강이 한탄강인데 한강의 하류에서 합쳐지지.
임진강
한탄강
한 강
《택리지》에는 '한탄강 변의 검은 돌이 마치 벌레 먹은 것 같아, 참으로 이상한 일' 이라고 적고 있지.
으~
오늘날에도 한탄강에 가보면 작은 구멍이 뚫려 있는 검은 돌을 많이 볼 수 있어.
한탄강
?
이러한 돌을 현무암이라고 해. 현무암은 용암이 굳어서 형성된 돌이야.
콰앙
우리나라에선 제주도에서 많이 볼 수 있어. 뭐냐구? 그래. 바로 돌하르방을 만드는 재료야.
철원이 위치한 지역도 용암의 분출에 의해 형성된 용암지대이기 때문에 이렇게 구멍이 나 있는 돌이 많은 거야.
아들~
아부지~
이중환은 이 돌을 알고는 있었지만 '돌이 벌레 먹은 것 같아 참으로 이상한 일' 이라고 했어.
?
이중환은 현무암이 어떻게 생겨났는지에 대해서는 몰랐던 모양이야.
거참 이상한 일이야.
나도 아는데

사육신, 생육신과 단종

▲
신숙주. 그는 한글 창제에 참여하는 등 조선 전기 명신임에도 사육신에 의한 단종 복위 사건이 탄로났을 때 세조 편에 섬으로써 변절의 대명사로 알려지게 되었다.

사육신死六臣이란 조선 제6대 임금인 단종의 복위를 꾀하다 제7대 임금 세조에게 죽임을 당한 여섯 명의 신하를 말합니다. 그러면 왜 이런 일이 벌어지게 된 걸까요?

1450년 조선 제5대 임금 문종이 즉위합니다. 이에 그의 어린 아들인 단종이 세자에 오르게 됩니다. 하지만 문종은 자신이 병약한데다, 세자의 나이가 어림을 염려하여, 황보인, 김종서, 그리고 집현전의 학자들인 성삼문, 박팽년 등에게 자신이 죽은 뒤에 세자를 보필해 줄 것을 부탁합니다.

결국 문종은 왕위에 오른 지 2년 만에 사망하고, 12세의 어린 나이에 단종이 왕위에 오르게 됩니다. 하지만 문종의 동생이었던 야심만만한 수양대군은 어 어린 임금이 제 역할을 못하고 신하들에 의해 휘둘리는 것이 못마땅했던 듯합니다.

이에 수양대군은 권람, 한명회를 비롯한 자신의 세력들을 지휘하여 1453년에 단종의 큰 지지 세력이자 군사권을 갖고 있었던 김종서의 집으로 쳐들어 가서는 그를 죽입니다. 그런 후 단종에게 이 사실을 알리고는 영의정 황보인을 비롯한 여러 명의 신하들을 죽이거나 유배를 보냅니다. 이를 계유정난이라 합니다. 이렇게 단종의 지지 세력을 제거한 후, 자신이 군사권을 장악합니다. 1455년에 단종은 결국 왕의 직위를 수양대군에게 넘기고 상왕으로 물러나게 됩니다. 사실상 숙부가 조카로부터 왕의 자리를 빼앗은 겁니다.

▲ 생육신의 대표적인 인물인 김시습은 세조의 왕위 찬탈 이후 머리를 깎고 승려가 되어 절개를 지켰다.

이에 성삼문, 박팽년, 하위지, 이개, 유응부, 유성원 등은 수양대군의 이러한 행위가 부도덕한 것이라 생각하고는 단종의 복위를 꾀합니다. 이들은 명나라 사신의 환송연에서 성삼문의 아버지 성승과 유응부가 세조의 옆에서 칼을 차고 호위를 하기로 되어 있음을 알고는 그 기회를 이용하여 세조의 세력을 처치하기로 합니다. 하지만 이 계획이 실행되지 못했고, 이에 불안을 느낀 김질이란 사람이 세조에게 이 사실을 밀고합니다. 이에 세조는 이 계획

▲
단종의 유배지인 영월 청령포는 3면이 강으로 막히고 다른 쪽은 험준한 절벽으로 가로막혀 나룻배가 아니고선 출입이 불가능한 육지 속의 섬이었다.

에 가담한 사람들을 모두 잡아들여 문초를 합니다.

그 결과 역모죄로 성삼문, 박팽년, 하위지, 이개, 유응부, 유성원이 죽임을 당하는데, 이들을 사육신이라 합니다. 반면에 사육신처럼 절개를 지키다 죽임을 당하지는 않았으나 벼슬을 버리고 세상에 나아가지 않은 채로 절개를 지킨 사람을 생육신生六臣이라 하는데, 김시습, 원호, 이맹전, 조려, 성담수, 남효온을 말합니다.

이 사건으로 인해 단종은 상왕에서 노산군으로 지위가 낮아집니다. 그 후 수양대군의 동생이며, 단종의 숙부이기도 한 금성대군이 다시 경상도에서 단종의 복위를 시도하다 발각되어 죽임을 당하는 사건이 발생합니다.

이에 단종은 다시 서인(평민)으로 강등되었습니다. 하지만 이렇게 단종을 둘러싼 복위 움직임이 계속되자 세조 세력들은 단종에게 계속 자살을 강요하게 되었고, 결국 단종은 강원도 영월에서 1457년에 죽고 맙니다.

그 후 숙종 때인 1681년 단종은 죽어서나마 대군으로 지위가 높아졌으며, 다시 1698

년에 임금으로 복위가 되었습니다. 사육신 역시 마찬가지로 1691년 숙종 때 관직이 회복되었으며, 이들을 위해 제사를 지내게 하였습니다. 이로써 단종을 비롯하여 단종의 복위를 시도하다 죽임을 당한 사람들이 죽은 이후라도 명예를 회복하게 되었습니다. 다만 1977년 사육신에 김문기가 해당한다는 주장이 제기되어 그에 대한 논의가 진행된 결과 김문기에 대한 사육신론도 존재하는 것으로 확인이 되었습니다. 현재는 김문기도 사육신에 포함되는 것으로 인정되고 있답니다.

▲ 사육신묘
서울시 동작구 소재.

제4-5장 경상도, 인재가 많이 나는 곳

정발
퇴계 이황
서애 유성룡
장영실
안용복

《택리지》 경상도 편의 첫 문장은 "경상도는 지리(地理)가 가장 좋다."라는 말로 시작해.
아하핫
지리
경상도
"와"
"지리 최고"
"와"
지리 잘한다
"와

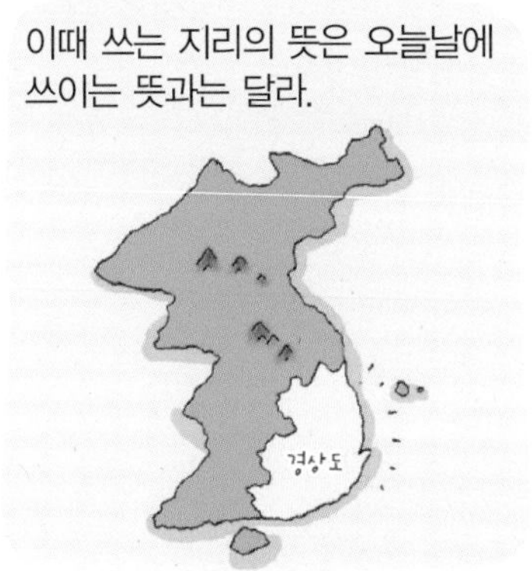

이때 쓰는 지리의 뜻은 오늘날에 쓰이는 뜻과는 달라.
경상도

이 책에서 쓰는 지리란 뜻을 정확히 말하면 풍수지리(風水地理)를 이야기해.
나 말야.
지리
풍수지리
쳇

풍수지리란 간단히 얘기하면 '우리가 살고 있는 땅이 우리의 길흉화복과 연결되어 있다.'는 것이야.
길흉화복
풍수지리

즉 어떤 땅에 살고 있는가에 따라서 내 삶과 미래가 달라진다는 것이지.
한 푼만…
에헴

그래서 어른들이 가끔 집안에 안 좋은 일이 있거나 하면 '집터가 안 좋다.' 든가 혹은 '조상 묘를 잘못 썼다.' 라는 이야기를 하는데, 이것이 바로 풍수지리와 관련된 얘기야.
집에 물이 샌다
풍수지리와 관련된 내용은 '복거총론' 지리편에서 좀 더 자세하게 알아볼 거야.
복거 총론 • 지리
이 풍수지리의 입장에서 보았을 때 우리나라에서 가장 좋은 땅이 경상도라는 것이지.
풍수
지리
그 때문인지, 《택리지》에서는 경상도가 우리나라에서 인재도 많이 나고 경치도 좋으며 농사도 잘 돼서, 사대부들이 살기에 좋은 곳으로 말하고 있어.
허허, 살기 좋구나.
경상도
그러면 정말로 풍수지리 덕분에 경상도가 살기에 좋은 곳이 되었는지 살펴볼까?
경상도
풍수지리
경상도는 강원도의 남쪽에 있는데, 태백산맥이 동해안을 따라 내려오다 경상도에서 소백산맥으로 갈라져 나가.
탁
요기
그래서 경상도는 태백산맥과 소백산맥으로 둘러싸여 있는 형태이고, 이 가운데를 낙동강이 흐르고 있어.
소백산맥
태백산맥
낙동강
《택리지》에서는 이 두 산맥 사이에 기름진 들판이 천 리나 된다고 하고 있어. 즉 사람들이 먹고 살기에 넉넉한 곳이라는 말이지.

조선 시대에 가장 중요한 농업이 벼농사라는 것은 잘 알고 있을 거야.
당시 벼농사를 짓기에 가장 적절한 곳은 작은 강에 의해 만들어진 평야였는데, 경상도는 낙동강으로 흘러드는 작은 강 주변에 이러한 평야들이 많았어.
황강
금호강
남강
낙동강
그래서 이 책에서 경상도의 기름진 들판이 천 리나 된다고 말하는 것은 산간이나 계곡에 형성된 작은 평야들이 연이어 있는 형태로 이해하면 좋을 것 같아.
더불어 경상도는 태백 · 소백산맥의 줄기와 낙동강이 서로 어울려 만들어 놓은 경치가 아름다워서 사대부들이 이곳에 정자나 누각을 세워 놓고 즐기기에도 좋았지.
그렇기 때문에 사대부들이 예로부터 많이 거주할 수밖에 없었고, 인재들도 많이 태어났던 거야.
《택리지》에서도 "예로부터 수천 년 동안 장수, 재상, 이름난 선비 등이 경상도에서 많이 나왔다. 그러므로 경상도를 인재의 창고라고 하며
경 상 도
인재
인재
인재
인재
인재
특히 조선에 들어와서는 선조 이전에 국정을 담당한 사람이 모두 경상도 사람이다."라고 얘기할 정도야.
경상도
경상도
경상도
경상도
경상도
그러면 경상도에는 정말 왜 이렇게 인재들이 많은 것일까?
나처럼
단순히 먹고살 만하고, 경치가 좋아 사대부들이 많이 거주하기 때문에 그런 걸까? 혹은 정말 풍수지리가 좋아서 그런 걸까?
바로 옆쪽에 정답이 있지.
쌔앵~

경상도는 원래 신라의 땅이었어. 그후에 신라는 삼국을 통일하였지.
통일신라
그런데 신라가 점차 약해지면서 후고구려, 후백제가 나타나게 돼.
후고구려
신라
후백제
그 후 후고구려를 이어 받은 고려가 후삼국을 통일하게 되는데, 이때 신라도 고려에 합쳐졌어.
고려
후백제
신라
여기서 중요한 것은 신라가 고려에 대항하여 싸우다가 멸망한 것이 아니라 스스로 고려에 나라를 바쳤다는 거야.
받아주세요!
누워서 떡 먹기군!
물론 힘으로 이길 승산이 없기 때문에 싸워보지도 않고 스스로 항복한 것으로 봐야겠지만 말이야.
잘 지내보자.
네.
그런데 왕건을 비롯하여 고려를 건국한 사람들은 나라를 다스려 본 경험이 부족했어.
싸움만 해 봐서….
그래서 그러한 경험이 풍부한 신라 사람들을 많이 스카우트 할 수밖에 없었지.
어서 오시오!
신라
더군다나 고려는 자신에게 나라를 바친 신라 인들에게 적대적이지 않았기 때문에 관직 진출이 더욱 쉬웠던 거지.
하하하
고려
신라
그래서 고려 왕조에는 신라 출신, 즉 경상도 출신인 사람들이 많았지.
신라
경상도
이러한 이유 때문에 경상도 출신의 사람들이 고려, 조선 시대에 걸쳐 중앙의 관직에 계속 진출할 수 있게 되었던 것이야.
고려
조선
그래서 "조선 인재의 반은 경상도에 있다."는 말까지 나오게 된 거지.
경상도
조선
인재

결국 경상도에 인재가 많이 나오게 된 것은 그 지방이 먹고 살 만해서라든가 혹은 《택리지》에서 이야기하는 것처럼 풍수지리가 좋아서라기보다는 역사적 특성 때문이라고 보는 것이 맞을 거야.
역사적특성
즉, 풍수지리에서 말하는 것처럼 환경이 인간의 길흉화복을 결정하는 것이 아니라 영향을 끼치는 정도로 이해하는 것이 좋을 것 같아.
풍수지리
오늘날에는 경상도를 경상북도와 경상남도로 구분. 하지만 조선 시대에는 경상좌도와 우도로 구분을 했지. 구분하는 기준은 당연히 낙동강이야.
경상북도
경상남도
기준
낙동강
낙동강 동쪽을 좌도, 서쪽을 우도라고 하지. 낙동강의 '낙동'은 '상주의 동쪽'이란 뜻이야.
경상 우도
경상 좌도
낙동강 기준으로 좌-우!
낙동강
상주를 '낙양'이라고도 하는데 '낙양의 동쪽'이란 뜻이지.
상주
(낙양)
낙동강
?
그런데 좀 이상하지 않아?
오~ 예리한데
웬지 좌우가 바뀐 거 같은데?
우리가 생각할 때는 낙동강 동쪽을 우도, 서쪽을 좌도라고 해야 할 것 같은데 말이야.
좌
우
좌도
우도
조선 시대에는 모든 방향의 기준이 왕이 사는 한양이었어.
경상 우도
경상 좌도
한양
즉, 왕이 한양에서 남쪽을 바라보았을 때를 기준으로 하면, 동쪽이 왼쪽(좌도), 서쪽이 오른쪽(우도)가 되지.

《택리지》에서 "경상좌도는 땅이 메마르고 백성이 빈곤하여 비록 검소하고 궁색하게 살지만 문학하는 선비가 많고,
하늘 천, 땅 지
검을 현, 누를 황
우도는 땅이 비옥하고 백성들이 넉넉하여 호사를 즐기지만 게을러 문학에 힘쓰지 않으므로 이름을 알린 선비가 적다." 라고 하고 있어.
먹고 죽자.
그러나 대강 그렇다는 것이고, 전체적으로 보면 땅의 기름지고 메마름은 좌도와 우도에 골고루 섞여 있고, 인재 또한 여러 곳에서 배출되었다고 하지.
인재
좌도
우도
이렇게 사대부들이 살기에 좋은 경상도 중에서도 《택리지》에서 '신이 내린 길지*' 라고 표현하는 곳이 있는데.
슈우우웅~
태백산과 소백산 남쪽에 위치한 고을들이야.
순흥
예천
예안
안동
영천
신이 내린 길지
저기!
슈우우웅
경치가 수려하고 들이 넓은 것이 한양과 비슷하다고 하는데, 왕이 사는 한양과 비슷하다는 것은 결국 그만큼 좋다는 의미이지.
거참! 내가 사는 한양이랑 어찌 이리도 닮았는고….

*길지(吉地) - 좋은 곳, 명당.

이렇게 좋은 땅이니 당연히 인물들이 많이 나왔겠지?
응애
그 대표적인 사람이 바로 예안의 퇴계 이황과 안동의 서애 유성룡이야.
퇴계 이황 1501~1570
서애 유성룡 1542~1607
내 제자야.
퇴계 이황은 율곡 이이와 함께 조선 시대를 대표하는 유학자 중 한 명이고
천 원짜리 지폐에도 퇴계 이황이 있어.
서애 유성룡은 임진왜란 때 권율, 이순신 등의 명장을 등용한 분이야.
권율 1537~1599
이순신 1545~1598
이 고을들에는 사대부들이 많은데 주로 이 두 사람 문하의 자손들이라고 하지.
그래서 아무리 외딴 마을이라 하더라도 글 읽는 소리가 끊이지 않으며, 경제적으로 어려워도 도덕을 생각한다고 해. 다만 예전과는 달리 근래에는 실질보다는 말다툼을 좋아하니 그것이 아쉬운 점이라 언급하고 있지.

태백산맥의 동쪽은 여러 모로 강원도의 영동지방과 유사해서, 땅이 남북으로는 긴데, 동서로는 좁은 편이야.
영동지역과 비슷하군.
모두 바다 가까이 있는 마을이라 농사보다는 고기잡이와 소금으로 이익을 얻지.
이 고을(영해, 영일, 울산, 경주 등)들 중 오직 경주만 도회지라 부를 만한데, 신라의 옛 도읍지였기에 그 풍속이 남아 있는 편이야.
대구는 경상도의 한복판에 위치하였기 때문에 경상도의 중심지로 성장했어.
대구
사방이 산으로 둘러싸여 있고, 들 가운데로 강이 흐르고 있지.
《택리지》에서는 '형세가 훌륭한 도회지' 라고 표현하고 있어.
굿!
이 대구 남쪽에 있는 고을들의 땅은 비록 기름지나, 일본과 가까워 살 만한 곳은 못 된다고 하고 있어.
먹음직스러운데?
아무래도 임진왜란을 겪은 이후다 보니 일본과 가까운 지역의 경우 전쟁으로 인한 피해가 걱정되었기 때문일 거야.

반면에 일본과 가깝기 때문에 일본인과의 장사를 통해 많은 이익을 얻기도 하는데 그 대표적인 고을이 밀양이야.
밀양
한양에서 온 역관들이 이곳에 머물면서 일본인과의 장사로 많은 이익을 얻었다고 해.
조선에서는 특정 지역을 정해놓고 일본인들이 그 지역에서만 무역을 할 수 있도록 했는데, 그곳이 바로 밀양 동남쪽에 위치한 동래야.
밀양
동래
동래는 일본에서 조선에 상륙하는 첫 지점이야.
Welcome
이곳에 왜관을 설치하고는 일본인들이 무역을 하거나 숙박할 수 있도록 해 주었지.
왜관
숙박
왜관에 머무는 일본인들은 주로 대마도 사람들이었어.
대마도
대마도는 땅은 메마른데, 인구는 많아서 늘 식량이 부족했지.
우글
우글
배고파
우글
배고파
그래서 예부터 주로 해적질을 하던 사람들이 많았는데, 고려 말 이후 우리나라 해안 지방을 약탈하던 해적들의 근거지가 바로 대마도였어.
대마도
대마도는 동래의 왜관에서 주로 쌀과 인삼을 많이 수입해 갔어.
동래
대마도
인삼이 일본의 풍토병에 효험이 있었기 때문이야.
오~

조선에서는 세금 가운데 일부를 대마도 군주에게, 그리고 일부는 왜관의 경비로 사용하도록 했어.
조선
왜관
대마도
이에 대해 이중환은 잘못된 일이라 비판했지.
'마치 조선이 대마도 도주에게 조공을 바치는 것처럼 보이므로 빨리 중지해야 하며, 먼저 군사를 통해 위엄을 보인 후에 다시 약속을 맺어야 한다.'
그러면 조선은 왜 대마도 도주에게 세금의 일부를 주었으며, 왜관을 지정해서 대마도인들이 무역을 할 수 있도록 해준 것일까?
조선
왜관
세금
대마도
《택리지》에서는 '대마도가 본래 일본에 속한 땅이 아니며,
난 어디 땅이지?
조선과 일본 사이에 위치하면서 조선에는 일본이라 얘기하고, 일본에는 조선이라 하며 잇속을 챙겨왔다.' 고 하고 있지.
안녕 하무니다
대마도
하지메 마시떼
그러므로 대마도를 토벌하여 복속시켜야 한다고 주장하고 있어.
쳐라!
원래 대마도는 신라 시대에 우리 나라에 속한 땅이었고, 역사상 세 번에 걸쳐 대마도를 토벌한 적도 있어.
대마도는 우리 땅이다. 알겠냐!
넵!
넵!
우리가 이랬던 게 세 번째 같은데….

그 중 세 번째가 세종대왕 때 이종무에 의한 것이었는데 토벌 후에 대마도 도주에게 관직을 내려 주고 대마도 사람이 우리나라 마을을 약탈하지 못하도록 하는 임무를 맡긴 거야.
약탈하면 알지?
넵!
그리고 대마도에 쌀이 부족한 것을 고려하여 동래에 왜관을 설치하고 쌀을 수입해 갈 수 있도록 해 준 것이지.
대마도
결국 조선에서는 대마도에 대해 군사적인 방법보다는 온건한 방법으로 관리하고자 했던 거야.
대마도
이러한 이유 때문에 역사상 대마도를 우리나라의 일부로 인식하는 경우가 많았대.
우리나라 고지도를 보면 대마도를 그린 지도들이 상당히 많은데
대마도 고지도
대표적인 지도가 김정호의 대동여지도야. 이러한 사실은 우리나라 사람들이 대마도를 우리 땅으로 인식했다는 증거로 볼 수 있어.
경상우도에는 한양으로 가는 큰 길이 있는데 그 중 대표적인 길이 바로 소백산맥에 있는 조령을 넘어서 한양으로 가는 길이야.
한양
조령
조령이란 한자로 '새 조(鳥)', '고개 령(嶺)' 자인데 새도 넘지 못할 정도로 험한 고개라는 의미가 있어.
그러므로 성벽을 쌓아 지킨다면 방어하기에 아주 좋은 위치였지.

임진왜란 때 일본군의 선봉장 고니시 유키나가는 한양으로 가는 최대 요충지인 조령 앞에서 진격을 못하고 이틀을 머뭇거렸어.
헉
이곳을 지키는 조선군이 당연히 있을 것으로 본 것이지.
음…
그래서 척후병을 보내 상황을 알아 보았는데, 척후병마다 이곳이 비어 있다는 믿기 어려운 보고였어.
아무도 없어요!
이것을 알고 단숨에 조령을 넘어 한양으로 진격하지.
가자! 한양으로!
아마 조선이 이곳에 성벽을 쌓고 지켰더라면, 전쟁 초기에 그렇게 힘없이 무너지지는 않았을 거야. 그후 조선에서는 이곳에 성벽을 쌓았어.
바보들이군…. 이런 곳을 놔두다니….
이럴 때 쓰는 속담이 소 잃고 외양간 고친다는 말인데, 그래도 또 소 잃어버리지 않으려면 어쩔 수 없는 것이겠지?
진작에 지을걸….
이 조령 아래 고을이 문경인데, 남북으로 통하는 큰길에 있지.
문경
그 남쪽에 상주가 있는데 조령 아래에서는 가장 큰 도회지야.
문경
상주
상주는 산세가 웅장하고, 평야가 넓으며, 육로와 수로 모두 남북으로 통하여 교통의 요지이므로, 교역이 편리했기 때문에 부자도 많았고, 이름난 유학자와 높은 관리도 많았어.

그런데 《택리지》에서는 이 상주보다 산천이 더 좋은 곳이 선산이라고 하면서 옛말을 인용하여 "조선 인재의 반은 경상도에 있고, 경상도 인재의 반은 선산에 있다."라고 하고 있어.
경상도
선산
조 선 인 재
맛있겠다
선산에는 문장이 뛰어난 선비가 많았다고 하지.
슥슥
임진왜란 때 명나라 군대가 이곳을 지나가다가 우리나라에 인재가 많음을 시기하여 점술사를 시켜 선산 고을의 맥을 끊고는 숯불을 피워 지졌다고 해.
명
점
그리고는 그것도 모자라 쇠못을 박아 땅의 기운을 눌렀다고 하지. 그런 까닭에 그 후로 인재가 나지 않았다고 해. 여러분들은 이 얘기에 대해 어떻게 생각해?
여러분이 점집에 가서 점을 쳤는데, '공부를 못할 팔자'란 점괘가 나왔어.
공부에 인연이 없어~
헉
합리적으로 생각하면 믿을 필요가 없는데, 어쩌다 시험을 한번 잘못 치르게 되면, '그 점괘가 맞는 것이 아닐까?' 라고 생각하게 되는 거야.
10
설마….
그리고는 다음 시험부터는 어차피 공부해도 시험을 잘 못 볼 거라 생각하고는 아예 공부를 안 하게 되는 거지.
으하하하
당연히 시험성적은 낮게 나올 거야.
역시나 점괘가….
이렇게 해서 결과적으로 점괘가 맞게 되는 거지.
내 점괘가 맞당께롱!
팍 팍

마찬가지로 명나라 점술가가 했던 일은 그 지역에 사는 사람들에게 우리 고을은 인재가 태어나지 않을 거란 믿음을 만들어 준 거야.
하늘 천, 땅 지
우리 지역에는 이제 인재가 나지 않는데….
에휴….
비록 이러한 믿음이 비합리적인 것이라 하더라도 실제 우리의 삶에 영향을 미칠 수 있기 때문에 문제인 것이지.
길고 짧은 건 대봐야 아는 건데….
어차피 안 되니 잠이나 자!
마치 점괘가 비합리적이라는 건 알지만 우리의 삶에 영향을 미칠 수 있는 것처럼 말이야.
과거급제….
그렇기 때문에 오늘날 어떤 사람들은 이러한 사례들을 찾아서 쇠말뚝 뽑는 일을 하기도 해.
으랴차차
못된 놈들
으샤!
이외에도 경상우도의 남쪽에 위치한 고을들은 대체로 땅이 기름져서 수확이 많아 백성들이 안락하고 사대부들이 많이 산다고 《택리지》에서는 말하고 있어.
성주
고령
합천
함양
음침~
산음
다만 지리산에서 가까운 산음만이 음침하고 어두워서 살 곳이 못된다고 하고 있지.
후후후후
산음
산음(山陰)이라는 지명 자체가 지리산의 북쪽인 음지에 형성된 고을이란 뜻으로,
요기다!
고령
성주
합천
산음
함양
지리산
주변이 산지로 둘러 싸여 햇빛이 적게 비치는 것과 관련하여 이해하면 될 것 같아.

진주는 경상우도의 남쪽에 해당하는 고을인데 지리산 동쪽에 있는 큰 고을이야.
지리산
진주
역시 땅이 비옥하고 경치가 좋아 사대부들은 넉넉한 살림을 자랑하며 집과 정자 꾸미기를 즐겨하기 때문에 유한공자라 불렀으며, 여러 장수와 재상이 나온 고을이야.
입을 걱정, 먹을 걱정 없이 한가한 사람을 '유한공자' 라고 해.
날 말하는 건가?
다만 진주 남쪽에 바다와 면해 있는 고을들은 예로부터 출세한 자가 적다고 했는데, 그 이유가 일본과 가까이 있고, 샘물도 좋지 못한 기운을 가지고 있어 살 만한 곳이 못되기 때문이라고 해.
물이 안좋아~
《택리지》에서는 남해 바닷가의 고을들이 살기에 적합하지 않은 것으로 보고 있어.
그 이유 중의 하나가 고려 시대 이후로 늘 왜구들이 바닷가를 약탈했고, 조선 시대에 들어서도 임진왜란으로 바닷가의 고을이 많은 피해를 입었기 때문이야.
결론적으로 《택리지》는 "좌도에는 벼슬한 집이 많고, 우도에는 이름난 부자가 많으며, 간간이 천 년을 이어 온 이름난 마을이 있다."고 해.
좌도
우도
그러면서도 한양에서 멀리 떨어져 있어 이 지방 출신이 아니면 사대부로서 갑자기 이곳에 내려가 살기는 쉽지 않다고 했지.
한양
그 이유가 세상 형편이 그렇지 못하고, 시대 또한 그럴 만한 때가 아니다.
라고 해.
그만큼 세상이 뒤숭숭하다는 얘기겠지?

제4-6장 전라도, 물산이 넉넉한 곳

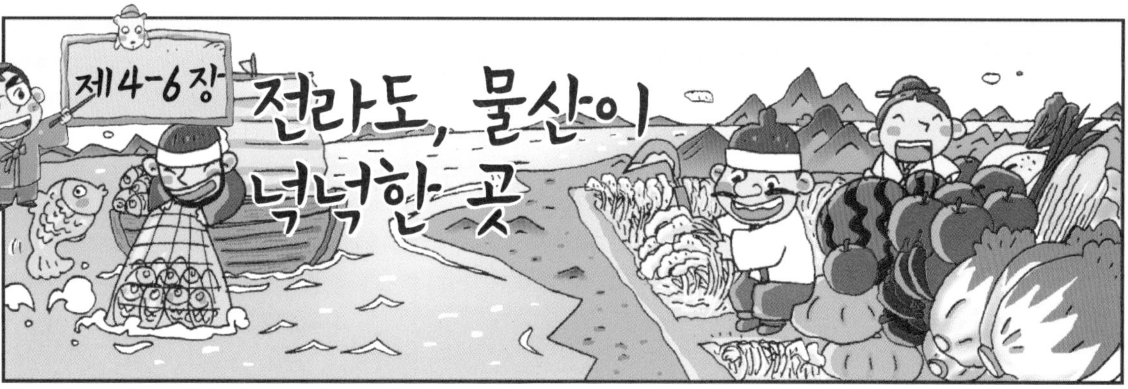

전라도는 동쪽으로 소백산맥과
섬진강을 경계로 경상도와,
북쪽으로는 충청도에 인접해 있어.
충청도
경상도
전라도

이 전라도는 과거 백제의
땅이었지.
백제
전라도

후백제의 견훤이 이 땅을 차지하여 고려
태조 왕건을 여러 번 위험에 빠뜨리곤
했어.
눈엣 가시 같은 놈.

그 후 태조 왕건은 견훤을 제압한 후, 후삼국을
통일하였지만, 백제 사람을
미워했다고 해.
백제
우리가 무슨 죄야!
분하다!

그 때문인지 왕건은 죽을 때 유언으로 《훈요 10조》라는
것을 남겼는데, 여기에는 "차령 이남의 물은 모두 거꾸로
흐른다. 차령 이남의 사람은 등용하지 말라."고 나와 있어.
펑
훈요 10조

차령은 차령산맥에 있는 고개로 오늘날은 충청남도에 있지만,
차령 이남이란 대체로 전라도 지역을 말해.
결국 이 말은 전라도 사람을 등용하지 말라는 얘기이지.
차령산맥
전라도
그렇구나!

왕건은 《훈요 10조》에서 전라도 사람을 등용하면 안 되는 이유로 자신이 미워해서가 아니라 차령 이남의 물이 모두 거꾸로 흐르기 때문이라고 얘기하고 있어.
훈요10조
이 말은 풍수지리와 관련이 있는 것인데
풍수지리
여기서 '물이 거꾸로 흐른다'는 것은 나라에 반역을 하는 사람들이 많이 나올 것이라는 것을 뜻해.
왕은 물러가라!
옳소
결국 이 지역 사람을 등용하면 안 된다는 것이지.
고려 태조는 아마도 고려를 건국할 당시 순순히 고려에 병합된 신라와는 달리 끝까지 고려를 괴롭힌 후백제가 미웠을 거야.
견훤
왕건
신라
흑!
삐짐
마찬가지로 후백제 지역의 사람들도 자신의 나라를 멸망시킨 고려가 미웠을 것이고,
으하하
뚝
그러니 당연히 반란을 일으킬 가능성도 많았겠지.
왕건 나쁜놈!
기호 1번
멍충이
바보
왕건 바보
이에 고려 태조는 반란의 가능성이 있는 후백제 지역의 사람들을 등용하지 말라고 한 것인데,
예전 후백제
아하
이 얘기를 직설적으로 하지 않고 그 당시 널리 퍼져 있었던 풍수지리를 이용해서 전라도 사람을 등용하지 말라고 한 것으로 이해하면 될 것 같아.
좀 더 그럴 듯한 핑계를 찾아 봐.
그럴싸한 걸로, 네 알겠습니다.

그런데 이 《훈요 10조》라고 하는 것이 고려 태조가 죽은 이후에 위조되었다는 학설도 많아.
…라고 말한 적 없다.
죽을래?
옴마나!
고려 태조의 기본 정치이념이 민족융합이었는데 이런 유언을 남겼을 리가 없다는 것이지.
크흐흐흐
또한 태조의 부인이 장화왕후인데 전라도 나주 출신이고,
왕건
여보
전라도 나주 출신
그 외에도 태조 주변에는 전라도 출신의 재상들이 상당수 있었다는 점도 그 유언이 위조였음을 말해 준다는 거야.
전라도
전라도
전라도 사람이 많네~
전라도
전라도
그런데 《훈요 10조》처럼 전라도를 낮게 평가하는 내용이 《택리지》에서도 언급되고 있어.
훈요10조
택리지
이 책에서는 전라도가 땅이 비옥하고 각종 물산이 풍부하다고 말하고 있어.
전라도
우리나라에서 가장 경제적으로 풍요롭다는 것이지.
오~
전라도
이렇게 먹고 살 만하니 즐기는 문화도 발달했겠지? 그래서 "노래를 좋아하고, 호사를 즐기는 풍속이 있다."고 했어.
그런데 문제는 "경박하고 간사한 자가 많으며, 문학을 중요하게 여기지 않는다."라는 대목이 있다는 거야. 이 말은 오늘날에 상당한 논란이 되고 있어.
전라도 친구들은 기분 나쁘지 않기를~.
경박하고 간사하며
문학을 중시 여기지 않는다.

《택리지》가 오늘날 가장 많은 비판을 받고 있는 것이 바로 특정 지방 사람들에 대해서 나쁘게 평가를 하고 있다는 사실이야.
전라도 별로야.
카악~퉤
언제 정신 차릴래
껄렁 껄렁
택리지
그 중 하나가 바로 전라도 지방이지.
내 뭘 잘못했기에.
전라도
그런데 사실 이 평가는 이 책뿐만 아니라 당시의 다른 문헌에서도 살펴볼 수가 있는 내용이야.
전라도에 관한 내용이 모두 같네?
특히 이중환은 자신이 전라도에는 가보지 못했다고 했기 때문에, 전라도에 대해서는 다른 문헌이나 사람의 말을 참고로 했을 거야.
쪼, 쪼금만 보고 쓸까?
이러한 사실을 고려하면, 당시의 사대부들은 대체로 전라도 사람들에 대해 이와 비슷한 생각을 하고 있었음을 알 수 있어.
크흐흐
크흐흐흐
어째서 모두 같은 내용이냐구~
그러면 우리는 이 사실을 어떻게 받아 들여야 할까?
몰라
전라도는 땅이 비옥하고 각종 물산이 풍부하다고 했지?
몰를 수도 있지!
또한 바다와 가깝고 강들이 많기 때문에 자연스럽게 이러한 물산을 배로 운반하여 장사하는 상업이 발달했을 테고
너무 많이 실었나?
그런데 상업이라고 하는 것이 이익에 민감할 수밖에 없기 때문에 자신에게 이익이 되는 일에는 열심이었겠지만 이익이 되지 않는 일은 신경을 쓰지 않았겠지.
거 안 살 거면 만지지 마슈!
흐미
성질 싸하긴.

이러한 행동이 도덕을 중시하는 조선 시대 사대부들의 눈에는 경박하고 간사한 것으로 보이지 않았을까 싶어.
옥신각신
쯧쯧쯧…

그러니까 우리는 조선 시대 전라도 사람들이 이익에 밝았던 사람들이었다고 생각하면 될 것 같아.

《택리지》에서도 전라도 사람들이 "노래를 좋아하고 호사를 즐기며 문학을 중요하게 생각하지 않기 때문에 경상도에 비해 과거에 올라 벼슬한 자가 적다."라고 하면서 그 이유로 "'학문'을 통해 자신의 이름을 날리는 데 힘쓰는 자가 적기 때문이다."라고 하고 있지.

얼쑤~

조선 초 태종 때(1404년)의 각 도별 인구를 조사한 내용을 보면 경상도의 인구는 약 10만, 전라도의 인구는 약 4만 정도였어.
10만
4만
경상도
전라도

특히 경상도의 인구가 전국에서 가장 많은 편이었지. 인구가 많으니 자연히 벼슬에 진출한 사람도 많을 수밖에 없었겠지?
쑥스럽게…
경상도
얼

하지만 《택리지》에서는 '사람이라고 하는 것이 땅의 영험을 타고 나는 것이기 때문에 이곳 출신의 인재도 적지 않다.' 라고 하고 있지.

으앙!!
인재
전라도

그러면서 전라도 출신의 유명한 학자와 장수, 문장가 이름들을 언급하고 있는데 대표적인 사람으로 광주 출신의 기대승과 해남 출신의 윤선도를 들고 있어.

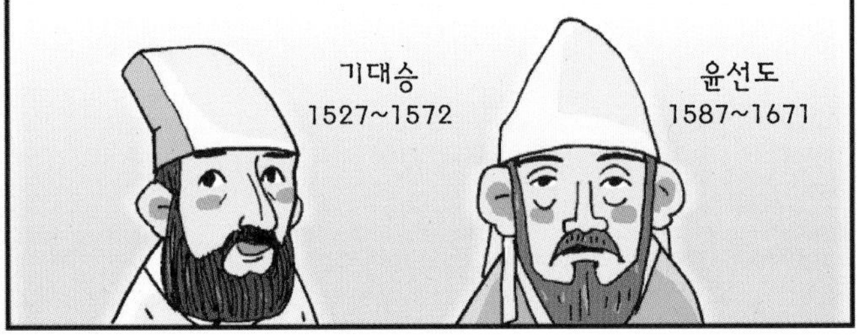
기대승
1527~1572
윤선도
1587~1671

특이한 사항은 단학을 하는 사람들에 대해 많이 언급하고 있다는 사실이야.

대표적인 사람이 도사 남궁두인데, 단학을 수련하여 나이가 아흔임에도 안색이 늙지 않아서 지상에 사는 신선이라 불렸다고 해.

허허허
남궁두
1526~1620

전라도는 우리나라 금강의 남쪽과 소백산맥의 서쪽에 해당되는 곳이야.

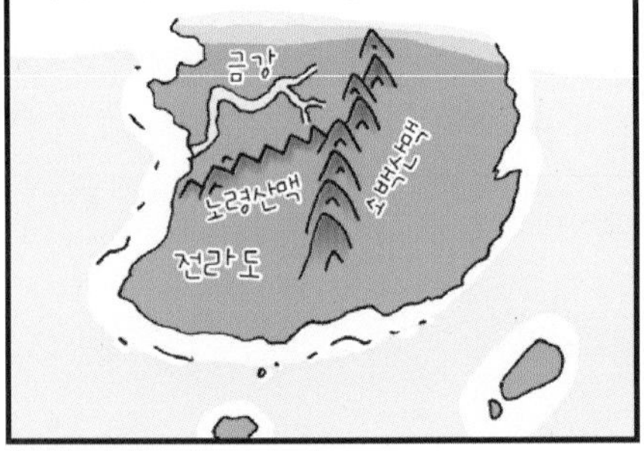
금강
노령산맥
소백산맥
전라도

그리고 전라도의 중앙으로 노령산맥이 지나가고 있어. 그렇기 때문에 전라도는 크게 노령산맥을 경계로 북부와 남부로 나누어져.

북부
노령산맥
남부

오늘날도 노령산맥은 전라 남북도의 경계에 해당하는데, 이 산맥 북쪽지방에서 가장 큰 도시는 전주야.

우뚝
전주

전주는 조선을 세운 태조의 고조부 능이 있는 곳이야.

목조
이안사
이안사

그리고 태조의 증조부가 함흥으로 이주하기 전에 살던 곳이 바로 전주이지.

익조
이행리
읏차
전주
함흥

그래서 그런지 《택리지》에서는 전주가 위치한 곳에 대해 "천 개의 고을, 만 개의 부락이 먹고 살 만큼 물자가 풍요롭다."고 하고 있어.

1000개 고을
10000개 부락
전주
간질 간질

또한 전주 관아가 있는 곳은 인구가 조밀하고 물자가 쌓여 있어 한양과 다름이 없을 정도로 큰 도회지란 표현을 쓰고 있어.

와글
와글
전주관아

그러면서도 노령 북쪽의 고을과 금강 남쪽의 고을은 다 좋지 않은 기운이 서려 있으나 오직 전주만이 가장 살 만하다고 평가하고 있지.

익산
금구
만경
부안
노령산맥
옥구
함열
여산
전주

다만 금구와 만경은 동진강과 만경강이 감싸고 흘러서 정기가 흩어지지 않아 살 만한 곳이 많다고 하고 있어.
만경강
만경
금구
동진강

《택리지》에서는 살기에 좋지 않은 곳을 말할 때 "샘에 나쁜 기운이 있다."는 표현을 종종 사용하고 있어.

윽

옛날에는 아무래도 상하수도 시설을 비롯한 위생시설이 잘 갖추어져 있지 않기 때문에 오염된 샘물을 통해 질병이 일어날 확률이 높았겠지?

색깔이 이상하지만
먹어도 괜찮겠지.

그 때문에 이런 곳은 살기에 부적합하다고 말하고 있어.

켁

노령 서쪽과 남쪽은 샘물에 나쁜 기운이 없기 때문에 노령 북쪽 고을보다는 살기가 훨씬 좋다고 했어.

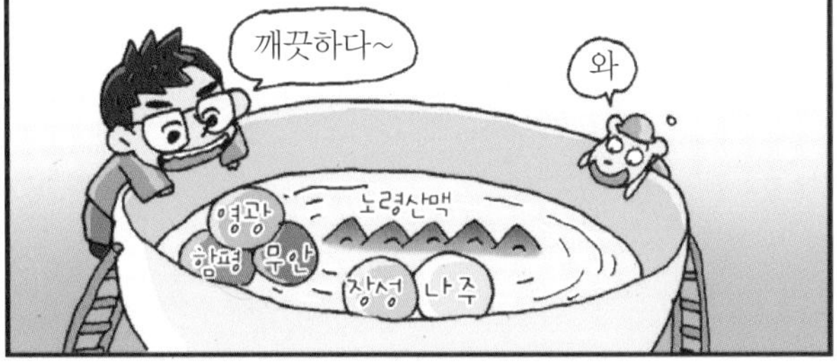
깨끗하다~
와
노령산맥
영광
함평
무안
장성
나주

특히 이 중에서도 나주는 영산강 가까이 있는 도회지로 기후가 맑고 화창하며, 영산강과 바다를 통해 물자를 교역하여 이익을 얻는다고 하지.
나주
영산강

그리고 고을 형세가 한양과 모양이 흡사하여 예로부터 높은 벼슬에 오른 사람이 많다고 하지.

한양 아닌가? 잘못 왔다.
나주

영산강 남쪽에 위치한 고을들(담양, 광주, 화순, 남평) 중에는 광주가 풍토와 기후가 깨끗하고 밝아 이름난 마을이 많으며, 높은 벼슬에 오른 사람들이 많았다고 해.
어흠
담양
광주
화순
남평

전라도의 동쪽은 주로 노령산맥과 소백산맥이 지나가는 곳이기 때문에, 이곳의 고을들은 산지가 많아. 경상도와 경계를 이루는 섬진강과 지리산이 있는데, 이 섬진강 가에 위치한 임실에서 구례에 이르는 지역은 경치가 좋고, 큰 촌락도 많다고 하지.
구만촌
특히 구만촌은 시냇가에 위치하여 강산과 땅이 훌륭하고 배와 고기잡이, 소금 등에서 이익을 얻어 살기에 가장 좋다고 하고 있어.

반면에 남원과 구례는 나쁜 기운이 있어 좋지 않은 땅이라 하고 있지.
남원
섬진강
구례

그런데 '복거총론 – 생리' 편에서는 이와는 반대로 우리나라에서 가장 비옥한 땅이 바로 남원, 구례라고 하면서 살기 좋은 곳으로 언급하고 있기도 해.
내가 그렇게 썼어?
전라도
복거총론
생리

이중환이 평안도와 전라도에는 가보지 못했다고 하는데, 아마도 다른 사람의 이야기나 책을 그대로 옮겨 적었기 때문에 다소 상반된 내용이 나오는 것이 아닌가 싶어.

전라도와 평안도는 나중에 보고 적자….
전라도
평안도

전라도 남해안 연안에 있는 고을들은 대체로 자연환경이 유사하여 풍속이 비슷해.
비슷
해남
강진
비슷
보성
순천
남양
다만 해남과 강진은 제주와 연결되는 바다의 길목이라서 제주도의 특산물인 말, 소, 진주조개, 귤 등을 팔아 이익을 남겼어.
그러나 《택리지》에서는 이 고을들을 살 만한 곳이 아니라고 말하고 있는데,
살만한 곳
?
그 이유로 한양에서 너무 멀고, 남해와 가까워 겨울이 따뜻하기 때문이래.
하나도 안 춥네.
남해
겨울이 따뜻한데 왜 안 좋지?
그건 풀과 나무가 마르지 않고 벌레 또한 죽지 않으며, 산 아지랑이와 바다 기운이 무더워서 나쁜 기운이 감돌고,
흐아~ 덥다!
일본과도 아주 가깝기 때문이라고 해.
그만 좀 쳐들어와!
야야야!

임진왜란 당시에 이 전라도 남해를 중심으로 활동했던 사람이 바로 이순신이야.
이순신
1545~1598
여러분이 너무나도 잘 알고 있는 사람이지.
나도 난중일기 아는데~
난중일기
이순신
임진왜란 때 명나라 장수로 우리나라에 원병을 이끌고 파견된 장군 중 대표적인 사람이 바로 이여송과 진린인데
진린
明
이여송
이중환은 이여송과 진린이 세운 공적이 바로 이순신의 덕이라고 말하고 있어.
이여송이 일본군을 격파하는 데 공을 세울 수 있었던 것이 이순신이 이끄는 수군이 일본의 수군을 격파하여, 일본 육군과 수군의 연합 작전 계획을 수포로 만들었다는 것이지.
쾅
펑
펑
펑
으악
으악
쾅
그 덕분에 이여송은 평양에서 일본군을 물리칠 수 있었던 것이라고 말하고 있어.
휙
윽!
또한 이순신은 여러 번에 걸쳐 일본군을 쳐부수고 그 목을 진린에게 주었지.
선물
감사~
일본군의 목

이순신의 덕으로 적의 목을 가장 많이 획득한 진린은
본국으로 돌아가 그 공을 인정받아 높은 벼슬에
오르게 돼.
잘했도다.
일본군의 목

반면 명나라 장수 중 양호라는 사람은 일본군을
크게 이긴 공을 세우고도 오히려 모함을 받아서
벌을 받았지.
억울해
양호

이에 이중환은 명나라의 그러한 상벌이 거꾸로 되었다고 하면서
명나라가 상벌도 제대로 내리지 못할 만큼 나라가 혼란스러운 상태임을
지적하고 있어.
택리지

결론적으로 《택리지》에서는 전라도가
'한양에서 멀고 풍속이 다르므로 지금은
살 만한 곳은 못된다.' 고 적고 있어.
하지만
실망하지 마!

다만 우리나라 가장 남쪽에 있어 물산이 넉넉한 곳이므로,
진실로 어진 사람이 부유함을 바탕으로 예와 글을
가르친다면 살 만한 곳이 될 수 있다고 했으니까.
1+1=2

또한 '산천이 뛰어난 곳이 많은데 고려에서 조선까지 큰 인물이 난 적이 없었으니,
반드시 한번쯤 쌓였던 정기가 모여서 훌륭한 인물이 나올 것이다.' 고 밝히기도 했으니까.
기대되는 말이지.
큰인물
전라도에 사는
여러분이길 바랄게~.

산맥 혈을 끊기 위한 일제의 쇠말뚝

▲ 1943년 백두산 천지에서 일본 무속인과 일본 인들이 쇠말뚝을 박고 일본 조상신에게 제사를 지내고 있다.

일본이 우리나라를 식민 지배하던 시기에 행했던 침략 행위는 이루 다 말할 수 없을 정도이며, 그로 인한 고통 또한 마찬가지입니다. 그리고 그 침략 행위의 영향은 독립이 된 지 반세기가 지났음에도 아직까지 남아 있을 정도인데 그 중의 하나가 바로 일제가 우리나라 전국의 산에 막아 놓은 쇠말뚝입니다.

일제는 36년간의 식민 지배 동안 전국의 주요 산들에 상당한 숫자의 쇠말뚝을 박은 것으로 알려지고 있습니다. 그렇다면 일제는 산에다 왜 이러한 쇠말뚝을 박아 넣은 것일까요? 그에 대한 답으로 여러 가지 견해가 제시되고 있습니다. 그 중 하나가 우리 민족의 정기를 훼손하기 위해 주요 명산에 쇠말뚝을 박았다는 견해가 지배적입니다. 이러한 견해는 우리나라의 풍수지리와 밀접한 관련이 있습니다. 풍수지리 사상은 그 이론이 방대하고 심오하기는 합니다만 간단히 말하면 땅의 좋고 나쁜 기운이 사람에게 영향을 준다는 것입니다. 그렇기 때문에 땅의 좋은 기운을 받으면 그 곳에는 큰 인물이 태어난다고 생각한답니다. 풍수지리는 그 이론이 우리나라 삼국 시대부터 존재해 왔기 때문에 그 기원이 오래되었고, 그 만큼 알게 모르게 우리나라 사람들에게도 영향을 미치고 있으며, 오늘날에도 그것을 믿는 사람들이 여전히 많이 있습니다.

▲
일제 시대에 박힌 것으로 추정되는 쇠말뚝이 최근에도 여러 산에서 발견되고 있다. 사진은 2007년 청량산에서 발견된 쇠말뚝.

문제는 이러한 사실을 일제도 알고 있었다는 겁니다. 그렇기 때문에 우리나라 주요 산의 중요한 지점에 쇠말뚝을 박음으로써 우리 민족의 정기를 끊어버리려는 행위를 했던 겁니다. 물론 일제가 쇠말뚝을 박았다고 해서 그 고을에서 나야 할 큰 인물이 안 나고, 그 고을이 망하는 것도 아닙니다. 문제는 그렇게 함으로써 사람들이 '우리 마을에서는 이제 큰 인물이 안 나올 거야.' 라고 생각하고 믿게 된다는 겁니다. 즉 자포자기를 하는 마음을 갖도록 만드는 고도의 침략행위였던 겁니다. 이것은 사람을 죽이는 일은 아니지만 사람의 정신을 죽이는 일이라고 할 수 있습니다.

그렇기 때문에 오늘날 어떤 사람들은 일제에 의해 행해진 이러한 쇠말뚝을 찾아내어 뽑아내는 일을 하고 있습니다. 그렇게 함으로써 다시 민족의 정기를 되살릴 수 있다고 생각하기 때문입니다.

하지만 또 어떤 사람들은 일제에 의해 행해진 쇠말뚝이 우리나라의 정기를 훼손하기 위한 것이 아니라 토지를 측량하기 위해 박아 놓은 것이라는 견해도 있습니다. 즉 지도를 만들기 위해 산꼭대기에 쇠말뚝을 박아 표시로 삼았다는 겁니다. 물론 이러한 쇠말뚝도 일부 존재하리라 생각합니다만, 산에 박혀 있는 모든 쇠말뚝이 이러한 측량용은 아닐 것입니다. 그렇기 때문에 일제가 우리 민족의 정기를 훼손하기 위해서 박은 쇠말뚝을 뽑아내는 것은 우리 후손들이 해야 할 일임을 꼭 기억해야 합니다.

훈요 10조와 지역차별

태조 왕건의 좌상.

훈요 10조란 고려를 세운 태조 왕건이 죽으면서 그 자손들에게 남긴 10가지 유언을 말합니다. 태조 왕건이 자신이 죽을 때 그의 충실한 신하인 박술희를 불러서 그에게 전했다고 합니다. 원래 훈요 10조는 왕실에서만 전해지는 것이었는데, 그 내용이 조선시대에 편찬된 《고려사》에 기록됨으로서 널리 알려지게 되었습니다.

그 내용을 보면, 다음과 같습니다.

① 국가의 대업이 부처님의 보살핌과 덕에 힘입었으니 불교를 잘 위할 것,

② 절을 함부로 헐거나, 짓는 것을 금할 것,

③ 왕위 계승은 정실의 자손을 원칙으로 하며 맏아들이 못나고 어리석을 경우에는 인망 있는 자가 그 지위를 이을 것,

④ 거란과 같은 야만국의 풍속을 배격할 것,

⑤ 서경(평양)을 중시할 것,

⑥ 연등회, 팔관회 등의 불교 행사를 소홀히 하지 말 것,

⑦ 왕이 된 자는 공평하게 일을 처리하여 민심을 얻을 것,

⑧ 차현 이남, 금강 바깥의 산 생김새와 강의 흐름이 은혜를 저버리고 배반을 하는 형태이니 그 지방 사람을 등용하지 말 것,

⑨ 모든 관리의 기록을 공평히 정해 줄 것,

⑩ 널리 중국의 경서와 역사 기록을 보아 지금을 경계할 것

이 내용은 태조가 그의 삶에서 얻은 지혜와 경험을 자손에게 전하고자 한 것으로 볼 수 있습니다. 이 내용들은 당시 태조가 중시했던 불교, 풍수지리 사상이 많이 반영되어 있습니다. 그런데, 이 10가지 조항 중에서 현재 가장 논란이 되고 있는 것이 바로 8조입니다. 이 내용을 풀이하면 대체로 차현 이남, 금강 바깥(대체로 전라도 지방) 사람들은 풍수지리로 볼 때 반역을 할 사람들이 많이 나오는 땅 생김새이니 관리로 등용하지 말라는 것이죠. 태조가 이러한 내용을 유언으로 남긴 이유는 고려를 건국할 때 전라도 지방을 근거지로 했던 후백제가 끝까지 고려를 괴롭혔기 때문이라고 합니다. 문제는 이 조항으로 인해 우리나라에서는 고려 이후 전라도 지방 사람들이 많은 차별을 받게 되었다는 것입니다. 그리고 현재까지도 그러한 지역 차별과 감정이 존재하게 되었다는 것이죠.

하지만 많은 학자들이 실제 고려 태조가 이런 유언을 남겼는가에 대해서 의문을 제기하고 있습니다. 왜냐하면 고려 태조는 생전에 전라도 지방을 차별한 적이 없었기 때문입니다. 오히려 고려 태조가 나라를 세우는 데 있어

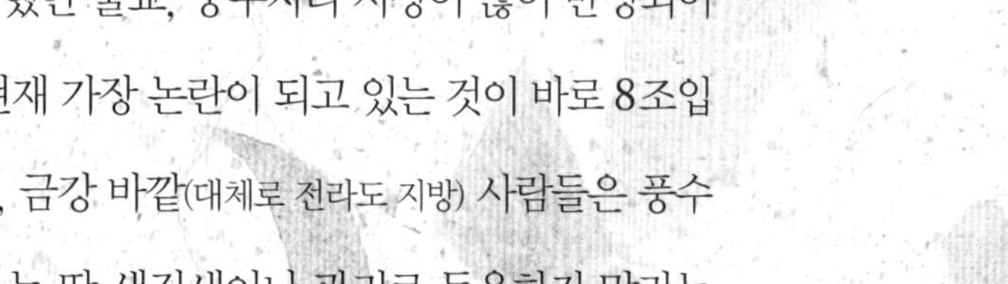

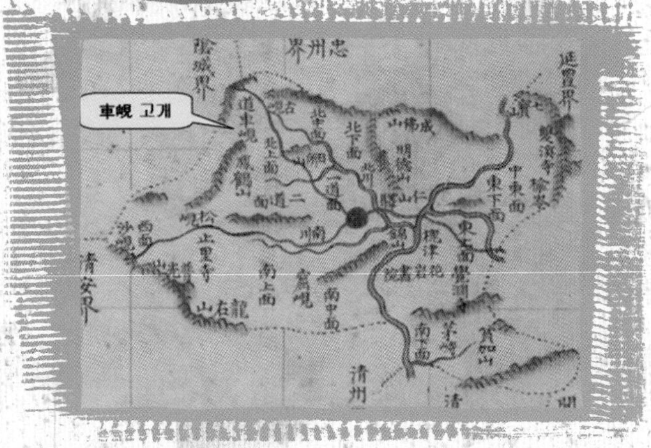
車峴 고개

▲
조선 중기 전국지도인 팔도군현지도 차현 고개, 아래쪽에 청주가 있다.

서 커다란 도움을 주었던 지역이 전라도 나주지역이고, 그의 부인 장화 왕후도 전라도 나주 출신이었으며, 태조와 장화 왕후의 아들이 제2대 왕, 혜종이 되었습니다. 만약 고려 태조가 유언으로 남길 정도로 전라도 지방 사람들을 싫어했다면 혜종이 왕이 될 수는 없었을 겁니다. 또한 왕건이 이러한 유언을 후백제 출신인 박술희에게 했을 리도 없었을 겁니다. 그리고 그 외의 많은 신하들이 이 곳 출신이었습니다. 그리고 태조가 존경하고 따랐다는 도선국사 역시 전라도 영암 출신입니다. 이렇게 여러 가지 정황으로 볼 때 훈요 10조의 이 조항은 후대에 고쳐졌음이 틀림없다는 겁니다.

고려 현종(1010~1011년) 때 거란군의 침입으로 고려 역사책이 모두 불타 없어집니다. 이에 다시 이 책을 편찬하게 되는데, 이때 최제안이라는 인물이 최항이라고 하는 사람의 집에서 간직해 두었던 문서를 가지고 와서는 이것이 태조의 유서라고 하며 고려 역사서에 끼워 넣습니다. 문제는 최제안과 최항이 옛 신라계 출신 사람이었다는 것이고, 후백제 출신의 사람들과는 서로 경쟁관계에 있었다는 겁니다. 그렇기 때문에 자신의 반대세력인 후백제계 사람들을 몰아내기 위해 훈요 10조에 차현 이남, 금강 바깥의 사람들을 등용하지 말라는 조항을 끼워 넣었다는 것입니다.

최근 연구에선 훈요 10조에서 말하는 '차현 이남'은 차령이 아니라 차현 고개를 말하는 것으로 보고 있기도 합니다. 그렇다면 '차현 이남, 금강 바깥'은 궁예의 근거지였던 청주를 말하는 것으로 개국초 태조를 괴롭히고 왕권을 노린 궁예 잔존 세력에 대한 경계였다는 얘기가 되겠죠.

이 주장이 사실인지, 아닌지는 현재로서는 명확하지 않습니다. 중요한 것은 그로 인해 우리나라에서 오랫동안 지역차별을 둘러싼 쓸모없는 논쟁과 감정싸움을 했다는 것입니다. 그러므로 앞으로는 그 근거가 불명확한 훈요 10조로 인해 우리나라 사람들이 더 이상 소모적인 감정싸움을 해서는 안 될 것입니다.

禮山界
大興界
青陽界
定山界
天安界
扶餘
尼山界
連山界

▲
최근 연구에선 훈요 10조에서 말하는 차현 이남과 금강 바깥이 궁예의 근거지였던 청주 지방이라는 주장이 설득력 있게 제기되고 있다. 금강이 감싸고 있는 안쪽의 공주목 고지도

제4-7장
충청도, 사대부들이 모여 사는 곳
백 제
충청도는 경기도와 전라도 사이에 위치해 있으면서 서쪽으로는 서해에 닿아 있어.
함경도
평안도
황해도
강원도
경기도
동해
서해
충청도
경상도
전라도
남해
조선 시대의 충청도는 전라도나 경상도와 비교하면 물산이 다소 부족한 편이지만 산천이 평탄하고 아름다운 편이지.
무엇보다 충청도의 가장 큰 특징은 한양과 가깝다는 사실이지.
한양
바로 저기구나!
그렇기 때문에 사대부들이 모여 사는 경우가 많았는데, 서울의 유력한 사대부들은
퇴근하게.
황공하옵니다.
한 양
모두 충청도에 농토와 집을 두고 생활의 근거지로 삼았다고 해.
go home~
충청도
퇴근

아무래도 사대부들은 주로 벼슬살이를 하는 사람들이기 때문에 정치에 민감할 수밖에 없었는데, 한양에서 너무 멀리 떨어진 곳에 살면 여러 가지 정보를 얻기가 힘들어지게 되지.
?
저기 말이지.
응?
소곤 소곤
수군 수군
그래서 자연히 한양과 지리적으로 가까우면서도 사대부의 경제적 기반인 농토도 어느 정도 갖춘 충청도를 거주지로 선호하게 된 거야.
이거닷!
충청도
강원도
평안도
경상도
함경도
황해도
경기도
전라도
더불어 한양과 풍속도 유사하니 사대부들이 골라 살기에 알맞은 곳이 된 것이지.
《택리지》에서는 충청도에서 가장 좋은 곳으로 내포지역을 꼽고 있어.
내포
충청도
내포는 현재 충남의 삽교천에 있는 포구였는데, 내포 지역이란 내포를 중심으로 서쪽에 있던 고을들을 가리켜.
서쪽
현재 예당평야 일대를 말하는데, 서쪽으로는 바다와 만나고, 평야 한가운데로는 삽교천이 흐르고 있는 곳이지.
화성시
평택시
당진군
천안시
아산시
삽교천
예당평야
이러한 지리적 조건을 갖추고 있다보니 땅은 비옥하면서도 넓고, 바다와 가까워 생선과 소금이 넉넉하여 부자가 많을 수밖에 없었고, 사대부도 대를 이어 사는 경우가 많았어.
하하 그렇지!
우아~ 넓어요~!

충청도 내포 지역을 살기 좋은 곳으로 꼽은 가장 중요한 이유는 바로 임진왜란과 병자호란 때 피해를 입지 않았기 때문이야.
뭔 일이래유?
쾅
쾅
?
쿵
《택리지》에서는 살기에 좋은 곳을 평가할 때 고려하는 조건 중의 하나가 바로 전란을 피할 수 있는 곳인데, 그러한 곳이 바로 이 내포 지역이라는 것이지.
안전제일!
웰컴 투 내포
전쟁은 대규모의 병력과 물자를 이동시켜야 하는데, 그러기 위해서는 큰 도로를 이용할 수밖에 없었어.
임진왜란 때 일본군이 한양으로 진격을 할 때도 바로 이러한 큰 도로를 이용했지.
캬캬
한양
조선 시대 충청도를 지나는 큰 도로는 주로 한양에서 경기도를 거쳐 충청도의 천안과 직산을 지나 차령을 넘어 공주로 이어지게 되는데, 내포 지역은 바로 이 도로에서 벗어나 있어 전란을 피할 수 있었던 거야.
내포지역
한양
천안
공주
그중 '보령 만큼은 산수가 뛰어나다.' 라고 말하고 있어.
다만 내포 지역 중에서도 바다와 가까운 곳은 학질과 부스럼 병이 많고,
음, 2% 부족해.
산천이 비록 평탄하긴, 하지만 수려한 맛과 기이한 절경은 부족하다고 하였는데,

내포의 동쪽 지역에 위치한 고을들은 천안, 직산, 아산, 온양, 예산인데
직산
아산
천안
온양
예산
이 중 남쪽 고을은 땅이 기름져 곡식과 목화 재배에 적합한 반면,
북쪽 바다와 가까운 고을은 소금과 생선이 나고 뱃길이 편하지만 목화 재배에는 적당하지 않다고 했어.
특히 천안은 조선 시대에 전라도와 경상도로 가는 길이 나뉘는 교통의 요지에 해당했지.
전라도
천안
경상도
그래서 천안 삼거리라는 말도 나오게 된 것이야.
천안
와~
부릉부릉
충청도는 크게 두 지역으로 구분할 수 있는데, 오늘날과 마찬가지로 충청 북도와 남도야.
충청북도
충청남도
대전
빵빵
오늘날에는 충청남도를 대표하는 도시가 대전이지만, 조선 시대는 공주였어.
공주
대표
조선 시대의 대전은 '한밭'이라 불리는 조그마한 마을이었는데, 일제 시대에 경부철도가 지나면서 큰 도시로 성장을 하게 된 거야.
칙칙폭폭
삐익
한밭
반면 공주는 철도 노선에서 제외되면서 오늘날에는 작은 도시에 머물러 있는 실정이고,
으하하하
대전
대표
공주
교통이 도시의 성장에서 얼마나 중요한지 보여주는 사례라 할 수 있지.
칙칙폭폭

공주는 과거 백제의 도읍이었던 곳이면서 전라도와 한양을 잇는 도로가 지나가는 곳이기도 했지.
한양
백제
전라도
서해

공주의 경계는 지금에 비해 매우 넓었는데
현재공주
과거 공주

《택리지》에서는 공주에서 가장 살기 좋은 곳 중 첫째가 '유성*' 이고, 둘째가 '경천', 셋째가 '이인', 넷째가 '유구' 라는 말이 전해 온다고 하면서 모두 살 만한 곳이라고 말하고 있어.
유구
공주
유성
대전
이인

*유성은 현재 대전광역시에 속해 있다.

공주와 함께 부여도 옛 백제의 도읍이었는데, 백제 시대의 유적인 낙화암, 고란사 등이 남아 있는 곳이야.
공주
부여
낙화암
고란사

이 곳은 땅이 비옥하고 부자도 많은데, 다만 한 나라의 도읍지로는 신라의 경주나 고구려의 평양과 비교할 때 그 땅의 넓이가 작고 좁은 편이지.
경주
평양
부여
신라
고구려
백제

한 나라의 도읍지는 영토를 효율적으로 통치할 수 있도록 나라의 중앙에, 그리고 많은 인구를 먹여 살릴 수 있을 정도의 땅과 물을 갖추고 있어야만 하는데, 부여는 한 나라의 도읍지로서는 그 규모가 작은 편이야.
너무해!
부여
크흐흐
신라
당나라
백제

결국 백제는 부여에서 당나라와 신라군에 의해 멸망하고 말지.
나당연합군
백제

현재 충청도 공주 근처에 행정 중심 복합도시가 건설될 예정이야.
정말?
공주

원래는 아예 수도를 서울에서 이곳으로 이전할 예정이었지만
서울 특별시
가져가
행정 수도
우아!
공주

반대하는 사람들이 많아서 행정 기능만을 이곳으로 옮기기로 한 거야.
다는 안되겠다~ 이것만
서울 특별시
행정
수도
찌익
공주

이렇게 수도를 충청도로 옮기려는 이유 중 하나가 뭔지 알아?
못 맞히면 뿅망치닷!
서울
남한
자기 맘대로야
응! 서울이 남한의 북쪽에 치우쳐 있어 효율적으로 통치하기 어렵기 때문이지?

하지만 한반도 전체를 놓고 볼 때는 여전히 현재의 서울이 우리나라의 수도로서 가장 적절한 위치라고 볼 수 있어.
어떻게 알았지?
으하하
퍽
퍽
퍽
서울
한반도
그렇게 뻔한가?

다만 너무 많은 사람과 산업시설이 서울에 몰려 있는 것은 문제점이라고 볼 수 있지.
빵
빵
빵
미치겠네…
또 막혀!
빵
빵

차령산맥은 충청남도를 가로지르는 산맥인데, 이곳의 남쪽에 위치하고 있는 마곡과 유구 사이의 지역을 《택리지》에서는 물이 풍부하고, 논이 비옥하며, 목화, 수수, 조를 가꾸는 데 알맞아 사대부와 평민을 막론하고 이곳에 살면 흉년을 모른다고 했을 정도야. 또한 넉넉하게 사람이 많아 농민이 떠돌거나 떠나야 할 염려가 적은, 좋은 땅이라고 하고 있지.
차령산맥
풍년이네 풍년~
보릿고개? 그게 뭐여?

그러면서 남사고라는 사람이 쓴 《십승기》를 인용하여 이곳이 전란을 피할 수 있는 대표적인 곳이라 언급하고 있어. 재미있는 것은 이곳이 앞에 말했던 행정 중심 복합도시의 예정지역 근처라는 거야.
남사고
1509~1571
십승기
행정중심복합도시
혹 남사고의 말을 고려한 것은 아닐까? 아니면 우연의 일치일까?
?
?
?
십승기
남사고는 조선 중기 때의 사람으로 조선 최고의 예언가로 알려져 있어.
최고!
예언자?
서양에 노스트라다무스가 있다면 조선에는 남사고가 있다고 할 정도지.
반갑소!
이 사람이 한 예언은 꼭 들어 맞았다고 해.
예언
팅!
특히 임진왜란이 일어날 것을 예언했던 사람으로 유명하지.
큰일 나겠군.
또한 풍수에도 밝아서, 전국의 명산을 돌아다닌 후에 쓴 것으로 알려진 《십승기》에는 우리나라에서 전란이 일어나도 안심하고 살 수 있는 열 곳을 적어 놓았어.
Stop
십승기
《택리지》도 전란을 피해 살 수 있을 만한 곳을 말할 때, 남사고의 책을 자주 인용했어.
음
슈우우웅
십승기
택리지

조선 시대에 충청북도를 대표하는 고을은 그 이름에서도 알 수 있듯이 충주야.
대표 고을
충주
충청북도
충주는 남한강의 상류에 위치한 고을로, 당시에는 대단히 중요한 교통의 요지였어.
충주
남한강
경상좌도에서 한양으로 가려면 소백산의 죽령을 넘어 충주로 들어오고, 경상우도에서 한양으로 가려면 조령을 넘어 충주로 와야만 했지.
한양
충주
조령
두 고개의 길이 모두 충주로 모이게 되고, 이곳에서 뱃길이나 육로를 이용해 한양으로 가게 되는데,
죽령
한양
충주
조령
오늘날로 말하자면 각종 철도와 고속도로가 지나가는 대전과 같은 역할을 하던 곳이었어.
빵
대전
빵
그렇기 때문에 조선 시대 교통의 요지인 충주는 당연히 많은 배와 수레가 모여 들었고, 그러다보니 큰 고을이 형성되었지.
와글
와글
충주
당연히 사대부들도 많아서 과거에 급제하는 자가 많기로는 팔도의 여러 고을 중에 으뜸일 정도였어.
팔도에서 내가 최고얏!
충주
에헴
과거 급제 최다 기록!
굿
그런데, 이렇게 교통의 요지라고 하는 것이 좋은 점도 있지만 《택리지》에서도 지적하고 있는 것처럼 전란이 일어날 때는 반드시 격전지가 될 수밖에 없다는 거야.
쳇
충주
왜냐하면 적들도 이 도로를 통해 이동을 하기 때문에 이 곳에서 전쟁이 벌어질 수밖에 없는 거지.
막아!
쳐라!
와
와

실제로 임진왜란 때 일본군이 이 길을 따라 한양으로 북상을 했어.
한양
충주
가자! 한양으로!
결국 조선에서도 군대를 파견하는데 이 군대를 이끄는 사람이 조선 제일의 명장이라는 신립이었어.
신립 1546~1592
조선은 일본군의 진격을 방어할 곳으로 조령과 충주, 두 곳을 놓고 회의를 거듭했어.
음….
조령
충주
결국 신립의 주장에 따라 충주에서 일본군을 막기로 하지.
충주
이 당시 조선군은 기병이 중심이었기 때문에 산간지역인 조령보다는 충주가 유리하다고 판단했던 거야.
신립은 충주의 탄금대에서 일본군을 맞아 싸우지만 숙련되지 못한 군대와 일본군의 조총의 위력에 결국은 패하고 말았지.
으아
악
으아악
으악
탕
탕
탕
탕
탕
탕
신립은 패배에 대한 책임을 지고 강에 투신해 자결했다고 해.
크윽

그런데 이처럼 사람과 물자의 유통이 활발한 충주에 대해서 《택리지》는 "부귀한 자가 적고, 백성이 많아 항상 구설이 많고 경박하여 살 만한 곳은 못된다."고 적고 있어.

충 주
너덜
너덜

항상 구설이 많다는 건 백성이 많으니까 당연한 일이라고 할 수 있는데,

부귀한 자가 적은 이유는 이곳의 지세가 서북쪽으로 쏟아질 듯하여 정기*가 쌓이지 않기 때문이라는 거야.
충주
기우뚱

충주는 동쪽과 남쪽이 산지로 둘러싸인 반면 서북 방면은 개방되어 있는 형태야.
챙—
충 주

*정기 – 천지 만물을 생성하는 원천이 되는 기운.

이러한 지형을 풍수지리에서는 정기가 쌓이지 않는 것으로 보고 있는데,
풍수지리
정기

'정기' 라고 하는 것은 풍수지리에서 재물을 의미하므로, 재물이 쌓이지 않는다고 본 것이지.

충주는 남한강 뱃길의 종점에 해당하는 곳이기 때문에, 배가 닿는 곳을 중심으로 마을이 형성되었어.
남한강

대표적인 곳이 바로 금천과 가흥이지.

대 표
금 천
가 흥

금천은 백성의 집들이 즐비하게 늘어서 있어 마치 한양의 강마을 모습과 비슷하고, 항구에도 배들이 잇달아 있을 정도로 큰 고을을 이루었다고 해.
금천
마을 엄청 크군.
가흥의 경우에는 조정에서 이곳에 창고를 짓고 경상도와 충청도 여러 고을의 세곡을 모아두게 했어.
그리고는 뱃길을 이용해 한양으로 실어 날랐지.
한양
이곳의 백성들은 객주업으로 쌀장사를 하여 때로 큰 이익을 봤어.
금천, 가흥 이외에도 말마리, 내창을 합하여 충주의 4대 촌락이라고도 해.
금천
가흥
말마리
내창
청주의 북쪽에 위치한 진천은 땅이 기름지다고 하지.
용인
진천
청주
옛날부터 진천 사람들은 '살아서는 진천, 죽어서는 용인'이라고 했어.
용인
진천
이 말은 그만큼 살기에는 진천이 좋고, 용인은 좋은 묏자리가 많다는 얘기겠지?
경치 좋다~
실제로 진천은 진천평야에 위치하고 있는데 이곳은 논농사에 알맞은 지역인 데다 품질 좋은 쌀이 많이 생산됐어.
진천 평야
현재도 진천 쌀은 맛이 좋기로 유명하지. 그러니 진천에서 살 만하겠지?
꺼억
꺼억

충청북도의 남쪽은 소백산맥이 지나가는 곳이어서 대체로 산지가 많으며, 금강이 시작되는 곳이야.
금강
《택리지》에서는 금강 상류에 위치한 고을의 특산물에 관해 많은 언급을 하고 있어.
청산
보은
대전
옥천
진안
아하!
청산과 보은은 모두 대추 농사,
진안은 담배 재배,
옥천의 경우는 목화 재배를 많이 한다고 말하고 있지.
이 책에서는 언급하고 있지 않지만 금산은 오늘날도 개성 인삼과 함께 우리나라를 대표하는 인삼 산지야.
개성
금산
이처럼 금강 상류에 위치한 고을들이 논농사나 밭농사가 아니라 주로 특산물 재배에 힘쓸 수밖에 없었던 것은 결국 이 지역이 산지라 농사를 지을 땅도 부족하고, 토양도 좋지 않았기 때문이야.
그러면 이제 조선팔도 중 마지막으로 왕이 살고 있는 경기도에 대해서 알아볼까?
경기도

《십승기》에서 말한 10승(勝), 열 곳

▲ 격암 남사고의 묘 조선의 대예언가이자 풍수지리에 통달했던 그도 지금은 그렇게 명당도 아닌 곳에 외로이 잠들어 있다. 경북 울진군 소재.

《십승기十勝記》는 조선 중기 때의 학자 격암 남사고南師古가 지은 책입니다. 《십승기》란 천재나 전쟁이 일어나도 안심하고 살 수 있는 열 군데의 땅에 관한 책이죠.

이 책을 지은 남사고(1509~1571년)는 조선 명종 때 종6품 벼슬인 천문교수를 지냈던 사람입니다만, 천문 외에도 역학, 풍수, 관상 등에 통달했던 것으로 알려져 있습니다. 사실 우리나라 역사에서 남사고만큼 예언가로서 이름난 사람은 드물 정도입니다. 그가 이러한 능력을 보일 수 있었던 것은 그가 젊었을 적에 고향인 울진의 불영사에서 한 승려를 만나 비결을 전수받았기 때문이라고 합니다. 남사고는 1575년 조정이 각각 동인과 서인으로 나누어지게 되는 것, 임진왜란이 일어날 것을 비롯해 여러 예언들을 했다고 합니다. 그런데, 그 예언들이 모두 현실화됨으로써 유명해지게 되었습니다. 이로 인해 남사고에 관한 신기한 일화들도 많이 생겨나게 되었고, 지금까지도 그와 관련된 많은 일화들이 전해져 내려오고 있습니다. 그런 그가 전국을 돌아보고 천재나 전쟁을 피해 안심하고 살 수 있는 곳을 적어 놓았다는 책이 바로 《십승기》입니다.

▲
격암 남사고가 비결을 전수받았다고 알려진 울진 불영사.

그가 말한 십승지지十勝之地, 10곳을 좀 더 자세히 살펴보면 다음과 같습니다.

① 공주의 유구와 마곡,

② 무주의 무풍,

③ 보은의 속리산,

④ 부안의 변산,

⑤ 성주의 만수동,

⑥ 안동의 내성,

⑦ 예천의 금당곡,

⑧ 영월의 정동 상류,

⑨ 운봉의 두류산,

⑩ 풍기의 금계촌

역사적 특성

▲
격암유록.

이 십승지지는 모두 백두대간과 연결되어 있는데, 그는 특히 백두대간에서 갈라진 많은 산자락 가운데서도 특히 소백산을 가장 중시했습니다. 《택리지》에서는 남사고가 소백산을 '사람을 살리는 산이다' 라고 말할 정도였다고 합니다. 십승지지는 대체로 백두대간 중에서도 태백산 이남에 많이 존재하고 있으며, 많은 곳이 경상도에 있음을 알 수 있습니다. 이 십승지지들은 대체로 해안이나 큰 길에서 떨어져 있는 것에서도 알 수 있는 것처럼 이렇게 외진 곳들이 전쟁, 전염병으로부터 상대적으로 안전했기 때문입니다.

조선 후기에 여러 전쟁과 난으로 인해 사회는 늘 전쟁과 전염병에 시달리게 되자 사람들은 이러한 것을 피해 편안히 살 수 있는 곳을 동경하게 되었습니다. 이에 사람들 사이에서는 그러한 곳을 찾고자 하는 움직임이 있었고 풍수에 밝은 사람들 중심으로 그러한 곳에 대한 언급이 있었으리라 추측됩니다. 이때 남사고가 이러한 곳들을 직접 답사해서 정리한 것이 바로 《십승기》라고 할 수 있습니다. 더군다나 예언가로서의 그의 능력은 그가 말한 《십승기》에 대해 사람들에게 믿음을 주었을 것이고, 그만큼 널리 알려지게 되어 십승지지를 언급한 대표적인 인물이 되었던 겁니다. 그 후 남사고가 《남사고비결》이나 《격암 유록》과 같은 책을 지었다고 추가로 알려졌으나 그 진위를 알기는 어렵습니다. 그리고 남사고가 《십승기》에서 언급한 십승지지는 그

후 다른 사람들에 의해 계속 언급되면서, 다른 지역들이 추가되거나 제외되기도 하는데, 그 대표적인 책이 바로 《정감록》입니다.

문제는 조선 시대에 실제로 이러한 곳을 찾아 사람들이 집단으로 떠돌아 다니는 경우가 있었다는 겁니다. 이로 인해 사회적으로 문제가 될 정도였죠. 중요한 것은 이러한 내용을 담은 책들이 바로 그러한 시대의 사회상을 반영한다는 것입니다. 사람들이 이러한 곳들을 찾는 시대일수록 사람들이 살기 어려운 때라는 것이죠. 그러므로 이러한 책들에 대한 관심이 적은 때가 바로 가장 살기 좋은 때라고 말할 수 있을 겁니다. 그렇다면 오늘날은 어떤가요?

십승지지

제4-8장
경기도, 왕이 사는 곳

경기도는 원래 '왕이 사는 곳(京)'과 '왕이 사는 곳을 중심으로 한 500리 이내의 땅(畿)'에서 유래했는데, 일반적으로 왕이 사는 도성과 국가에 공이 많은 신하에게 주었던 땅을 의미하지.
500리
경기도

조선 시대 왕이 사는 곳을 흔히 한양이라고 불러.
한양
내가 사는 곳이 한양이야.

풍수지리에서는 강의 북쪽이나 산의 남쪽을 양(陽)으로 보고, 강의 남쪽, 산의 북쪽은 음(陰)으로 생각해.
陽
江
陰

쉽게 이야기하자면 강의 북쪽이나 산의 남쪽은 햇빛이 잘 비추어서 따뜻하기 때문에 양이고,
허허~ 따뜻하구나.

반대로 강의 남쪽, 산의 북쪽은 햇빛이 잘 비추지 않고 응달이 되기 쉽기 때문에 음이라고 생각하면 쉬울 것 같아.
암울

결국 한양은 한강의 북쪽 지역을 가리키는 말이야.
한양
한강

전해지는 말에 의하면 한양이 조선의 도읍지가 될 것을 처음으로 예언한 사람은 신라 말의 유명한 승려인 도선이야.

저 곳이 명당이군….
도선
827~898

도선은 고려 태조 왕건의 탄생을 예언했던 사람으로 유명한데

응애
응애

그는 승려이기도 했지만 우리나라에 풍수지리를 처음으로 전파한 것으로 더 유명한 사람이야.

탄생~
아부지!
풍수지리
1
킥킥

그가 썼다는 《도선비기》라는 책은 우리나라 최초의 풍수지리서로 알려져 있어.

도선비기

도선은 《유기》라는 책에서 "왕(王)씨를 이을 자가 이(李)씨이며, 한양에 도읍할 것이다."라는 기록을 남겼다고 해.

이제 줘!
王
李
고려
조선

이 기록은 왕씨가 세운 고려가 이씨 성을 가진 사람에게 멸망하고, 이씨의 나라가 한양을 도읍으로 한다는 이야기야.

툭
李
王
한양

당연히 고려에서는 도선이 이러한 얘기를 했다고 하니, 대책 마련에 고심할 수밖에 없었겠지.

고려
운명이니라~

그래서 고려에서는 한양의 백악산(현재의 경복궁 북쪽에 있는 북악산) 남쪽에 터를 정해서 오얏나무를 심게 하고
백악산
(북한산)
경복궁
오얏나무는 자두나무야.
그렇구나!
무성하게 자라면 곧 베어 이씨의 성한 기운을 눌렀다고 해.
퍽
그런데 오얏나무를 베어서 없애 버린 것이 이씨의 성한 기운을 눌러 버린 것과 무슨 관계가 있는 거야?
오! 좋은 질문이야.
쌩
저리 비켜.
이씨의 李자는 오얏나무 李자야.
李
오얏나무가 이씨를 뜻하기 때문에 이 나무를 베어 버리면 이씨의 기운을 누를 수 있다고 본 것이야.
쿵
쓰러진다!
오~ 그렇구나!
하지만 이러한 노력에도 불구하고 고려는 이성계에 의해 멸망하고 말지.
쳐라!
고려
태조 이성계는 조선을 건국한 후 개성을 떠나서 새로 도읍지를 정하기로 결심하지.
어디가 좋으려나~
개성
즉 새 술은 새 부대에 담고 싶었던 거야.
조선
촤아악
그래서 도읍지로 적당한 곳을 찾기로 하고 그 임무를 평소 친했던 무학대사에게 맡기지.
대신 좀 찾아주게나.
네.

무학대사는 풍수지리에 밝은 사람이었는데 새로운 도읍지로 찾아낸 곳이 바로 한양이야.
오~
한 양
《택리지》에서는 무학대사가 찾은 조선의 궁성터가 바로 고려 때 오얏나무를 심었던 곳이라고 적고 있어.
참 아이러니 하구나….
한양은 풍수지리적으로 볼 때, 한 나라의 도읍지로 적합한 곳일 뿐만 아니라 현대적 의미에서 볼 때도 수도로서 훌륭한 곳이야.
서울 5km
부웅
한 나라의 도읍지가 되기 위해서는 영토 중앙에 위치해 있어야 하고, 많은 사람들이 살 수 있을 만큼 넓은 땅과 물을 얻을 수 있는 곳이어야 해.
오오!
- 도읍지 조건
1. 영토 중앙에 있을 것.
2. 많은 사람들이 살 수 있게 땅과 물이 있을 것
한양은 이러한 조건을 모두 갖추고 있는 데다가, 한강과 서해에 가깝기 때문에 교통이 무척 편리하다는 장점까지 갖춘 곳이야.
한양
룰루~
덕분에 오늘날까지도 서울에 약 1,000만의 인구가 살아갈 수 있는 것이지.
《택리지》에서는 한양을 "삼백 년간 명성과 문물을 떨친 지역이 되었고, 유학 또한 크게 일어나 학자가 많이 나왔으므로 엄연히 하나의 소중화를 이루었다."라고 말하고 있어.
흠….
小中華
소중화? 작은 중국이란 말이야?

조선 시대에는 모든 생각이나 행동의 기준이 중국이었기 때문에

중국에서는 말이지….
오오! 중국 유학파래.
거들먹

소중화라는 표현은 중국 다음으로 조선의 문화가 발달했음을 강조하는 말이야.

조선
중국
내가 한수위
1
2
문화

이 책에는 이렇게 중국 명나라에 대해 우리나라를 낮춰 표현하는 내용이 종종 등장하고 있어.

명나라
조선

오늘날에는 이러한 태도를 주체성이 없이 큰 나라를 섬기는 사대주의라고 하여 많은 비판을 받고 있지.

사대주의
퍽
비판

다만 이러한 태도는 《택리지》에서만 나타나는 것이 아니라, 그 당시의 사대부들이 일반적으로 가지고 있던 생각이었어.

당연한 게 아닌가?

아마 작은 국가가 큰 국가에게 잘 보임으로써 살아남으려는 전략에서 시작된 것으로 이해하면 될 것 같아.

귀엽구만!
쳇!
중국
조선

다만, 이것이 너무 오랫동안 지속되다 보니 아예 당연한 듯 여기게 되었다는 것이 문제지.

편한데..
중국

심지어는 이러한 태도가 오늘날에도 나타나는 것을 볼 수 있어.

큰 나라들은 다르다니까~
뭐야?

현실적으로 작은 나라가 강대국에게 앞뒤를 가리지 않고 대항하는 것은 무모한 일이지만, 그 가운데서도 자기의 주체성을 가지고 실리를 따져 대하는 태도는 꼭 필요해.

스테이크 먹을래
너나먹어 난 밥이 좋아
휘휘

이 무조건적인 사대주의와 실리성이 없는 외교 때문에 역사상 커다란 전쟁을 겪기도 했는데, 그게 바로 정묘 · 병자호란이야.

정묘호란 1627년
병자호란 1636년

임진왜란 때 명나라가 원군을 보내준 것에 대한 의리를 지키기 위해 날로 강성해지는 청나라를 무시하다가 결국에는 큰 전쟁을 두 차례나 치르고 항복한 것이 바로 이 전쟁이지.
"명나라에 대한 의리를 지킨다."는 전쟁 명분도 사실은 오랫동안 조선이 문화대국으로 숭상해 왔던 명나라를 버리고 그동안 오랑캐라고 무시해 왔던 청나라에게 허리를 숙이는 것이 마땅치 않아서야.
그러나 결국 청나라에게 무릎을 꿇게 되지.

쿵
쿵
쿵

◀ 삼전도비 서울 송파구 소재.

＊삼배구고두례 – 1637년 때 청나라에 항복하면서 삼전도에서 청나라 황제에 행한 항복의식. 3번 절하고 1번 절할 때 3번 땅에 머리를 부딪치는 치욕적인 의식이다. 이때 머리 부딪치는 소리가 나야 하는데 청태종은 소리가 나지 않는다고 다시 할 것을 요구해 인조는 수십 번 머리를 찧어 이마가 피투성이가 되었다 한다.

조선의 도읍지가 한양이다 보니 이곳을 방어할 만한 군사시설도 중요할 수밖에 없었는데 그 대표적인 곳이 바로 남한산성과 강화도야.
강화도
한양
인천
남한산성
남한산성은 경기도 광주에 있는데 일찍이 백제를 건국한 온조가 도읍지를 세운 곳이라고도 해.
내 어머니는 소서노….
광주
온조
?~28
남한산성은 높은 산꼭대기에 있는데, 성 안은 평탄한데 비해, 성 밖은 대단히 험하고 높아.
남한산성
그러다 보니 공격하는 쪽은 힘들고 방어하는 쪽은 수월한 천혜의 요새라 할 수 있어.
킥킥
힘들다. 내려가자.
특히 병자호란 때 청 태종과 부하 장수 용골대가 이끄는 청군 20만 명이 포위하여 공격했음에도 함락시키지 못했어.
메롱~
뿌득
하지만 조선의 인조는 성 안에 식량이 떨어지자 결국에는 성문을 열고 나와 청 태종에게 3번 절하고 9번 머리를 조아리는 항복의식을 치르고 말았지.
3번 했으니
6번 남았네.
뿌드득
인조
1595~1649
원래 인조가 청나라 군사를 피해서 가려고 했던 곳은 강화도였어.
강화도로만….
갔었어도!
크윽
강화도는 일단 한양에서 가까운 거리에 있는 데다, 바다로 둘러싸인 큰 섬이지.
한양
강화도
강화도는 주변이 갯벌로 되어 있어서 배를 정박하기가 어렵고 배를 이용해 강화도로 들어갈 수 있는 곳은 갑곶에 있는 나루뿐이었어.

강화도는 말 그대로 갑곶만 지키면 되는 천혜의 요새라 할 수 있지.
그렇기 때문에 고려 시대 몽고가 침입했을 때도 고종은 이곳에서 몇십 년 동안이나 대항을 할 수 있었던 것이지.
고려 고종
1192~1259
몇 년간 저러고 있는 거야?
안 나가!
강화도
나중에 몽고에게 항복을 하기는 했지만 이 섬에는 결국 몽고군이 들어오지 못했어.
못 버티겠다 항복….
크윽!
이러한 방어의 이점 때문에 인조는 청나라가 침입하자 먼저 봉림, 인평대군을 비롯한 왕실을 강화도로 피난을 시켰지.
강화도에 가 있어!
네!
왕실
그리고 인조도 강화도로 피난하려 했으나 이미 청나라 군사가 가까이 다가온 상태여서 길을 바꿔 남한산성으로 간 거야.
강화도
왕실
벌써 여기까지?
남한산성
남한산성이 비록 천혜의 요새이기는 하나 식량이 충분히 갖추어져 있지 않은 상태에서 청군에게 포위를 당하다 보니 그 고통이 아주 심했어.
먹을 게 이것밖에….
꼬르륵~
당시 강화도를 지키는 사람은 영의정 김류의 아들이었던 김경징이었어.
김경징
1589~1637
아들입니다.
김류
1571~1648
김류는 강화도가 함락될 염려가 없을 것이라 보고, 자신의 아들로 하여금 강화도를 지키게 했어.
강화도는 너라도 지킬 수 있겠지.
맡겨만 달라니까요 아버지.
히~
그런데 김경징은 아버지의 권세를 믿고 방비를 허술히 한 데다 장기두기나 술타령으로 세월을 보냈다고 해.
그까짓 거 발로 막아도 되지.

당시 청나라 장수 용골대가 강화도 건너편의 문수산에 올라가 강화도를 내려다보니 갑곶나루의 방비가 전혀 없는 거야.
뭐야? 다 어디 갔어?
강화도
그래서 주변의 민가를 헐어 뗏목을 마련한 뒤 바로 강화도를 함락시켜 버렸어.
청
와!
쳐라!
살려줘!
악
이때 김경징은 혼자 배를 구해서 달아났다가 후에 사약을 받아 죽게 돼.
크윽
청
강화도가 함락되자 결국 인조는 청 태종에게 신하의 예를 갖춰서 항복을 하게 되지.
이걸 '삼전도의 치욕'이라고 해.
이처럼 우리나라의 슬픈 사연이 서려 있는 곳이 바로 남한산성과 강화도야.
– 삼전도 비
청태종이 자신의 공덕을 자랑하기 위해 세운 비.
서울 송파구 석촌동 소재
이렇게 전란이 있을 때마다 치열한 전쟁터가 되는 곳이 바로 남한산성이 있는 광주였기 때문에 《택리지》에서는 광주 일대를 살 만한 곳이 못 된다고 했어.
사고 많은 곳
남한산성
쾅
와
쾅
조선 시대에는 한양 근처에 위치하고 있는 양주, 포천, 가평, 양평을 동교라 하고, 고양, 적성, 파주, 교하는 서교라고 했어.
교하
파주
고양
서교
적성
한양
양주
포천
가평
동교
양평
《택리지》에서는 두 곳 모두 땅이 메마르고, 백성들이 가난하여 살 만한 곳이 적다고 하고 있어.
다이어트에 좋겠군.

더불어 사대부 가운데 형세가 어려워지고 세력을 잃은 뒤
삼남(충청, 전라, 경상도)지방으로 내려간 자는 가세를 잘 보존했으나,
근교로 나간 자는 가난하여 쇠잔해졌다고 하지.
쳇!
한양과 함께 경기도 지역에서
오랫동안 도읍지였던 곳이
고려의 개성이야.
개성
개성은 현재 북한의 황해도에 속해 있지만
조선 시대까지는 경기도에 속해 있던 곳이지.
안녕하십니까~
개성
북한
휴전선
경기도
남한
개성이 약 반세기 동안 고려의 도읍지였기 때문인지
《택리지》에서는 고려의 건국과 멸망에 관해 많은 이야기를
하고 있어.
고려
고려의 건국
고려의 멸망
특히 고려 태조 왕건의 탄생과 관련하여, 옛 기록에 보면 다음과 같은 이야기가 전해 내려온다고 해.
당나라 선종이 젊었을 때 여러
나라를 떠돌아다니며 고초를
겪었는데 한 때 개성 근처에
이르렀을 때의 일이야.
개성
귀인의 상이로다!
보육이라는 사람이 선종이
귀인임을 알아보고는 자신의
딸인 진의와 살게 하지.
내 딸일세.
헤어질 때 진의가 임신을 한 것을 알고는 붉은 활을 주며, 만일 사내 아이를
낳거든 이름을 제건이라 짓고 이 활을 가지고 중국으로 오게 하라고 했어.
매정한 사람 …

제건이 장성하자 아버지가 준 활을 가지고 활쏘기를 연습했는데 그 기술이 절묘했지.
제건은 아버지를 찾아 당나라로 가는 상선을 얻어 탔는데, 이 배가 바다 가운데 이르러 가지를 않는 거야.
어찌된 일이여?
우뚝
그래서 뱃사람들이 그 이유를 점쳐서 알아 보았는데 그 방법이 각자의 갓을 바다에 던져보는 것이었어.
그랬더니 제건의 갓만 물 속에 가라앉았지.
그걸 보고 사람들이 제건 때문에 배가 나아가지 않는다고 여기고는 제건을 작은 섬에 내려놓고 떠나버렸지.
어쩔 수 없다네.
제건은 홀로 섬에 남게 되었는데, 잠시 후 물 속에서 동자 하나가 나타나서 제건을 용왕에게 데려갔어.
용왕님이 부르십니다.
그 용왕은 최근에 흰 용이 나타나 자기의 굴을 빼앗으려고 하니 제건의 활 솜씨로 자기를 도와 달라고 부탁을 하는 거야.
그래서 제건은 용왕이 푸른 용으로 변신해 흰 용과 싸울 때 흰 용을 활로 쏘아 물리쳤지.
피융
이에 용왕은 자신의 딸을 제건의 아내로 맞이하게 해.

그 이후 용녀와 함께 고향으로 돌아온 제건은 아들 하나를
낳아 융이라 이름 지었는데,
융
그후 용녀가 제건이 믿음이 없다고 딸만 데리고
용으로 변해 서해로 돌아가 버려.
여보!
흥!
아빠
엄마!
융은 장성하여 아들을 낳아 성을 왕(王)이라 따로 짓고, 이름은 건(建)이라 했는데,
바로 이 사람이 고려를 건국한 태조 왕건이야.
王建
네 이름이다!
결국 이 이야기는 왕건이 평범한 사람이 아니라 태어날 때부터
남다른 사람이었으며 한 나라의 왕이 될 만한 사람이라는 것을
강조하기 위해 만들어낸 얘기라 할 수 있어.
왕건
약간 뻥이 있지만
진짜라구….
믿거나
말거나~
그럼 난
사람이게?
옛날처럼 신분이 중요한 사회에서 자신과
똑같은 사람이 왕이 된다는 것을 백성들이
받아들이기 어려웠기 때문이지.
망극하옵니다!
그러니 남다른 사람이라는 것을 강조하기
위해 이런 이야기를 만들어 내게 되는데,
이런 이야기는 왕건뿐만 아니라 역사상 한 나라를 건국한
사람들에게는 흔히 볼 수 있어.
그래도 이 정도는 해줘야 한다고.
단 군
박혁거세
김수로
주 몽

어쨌든 왕씨는 용녀의 자손이기 때문에 겨드랑이에 용의 비늘이 있다는 전설이 생겼다고 해.
그래서 후에 이성계가 위화도 회군을 한 이후에 새로이 공양왕을 세우고 우왕을 폐위시켰어.
니가 왕해.
뿅
얍
!
그런데 우왕은 공민왕의 아들임에도 불구하고, 그 당시 많은 사람들로부터 신돈의 아들이라는 의심을 계속 받아왔어.
공민왕
1330~1374
아버지~
신돈은 공민왕의 신임을 받아 정치를 담당하던 승려 출신의 사람이야.
신돈
?~1371
그냥 다.
알아서 하셔!
많은 사람들은 신돈이 자신의 아이를 가진 여자를 공민왕의 처로 만들었고, 이 여자가 낳은 아이가 바로 우왕이라고 의심했던 것이지.
그 후 신돈은 반역을 계획했다는 이유로 공민왕에게 죽임을 당하고, 우왕은 왕위에 올랐지만 결국 이성계에 의해 죽임을 당하게 되었어.
공민왕 미워!
이성계 미워잉!
신돈
우왕
이때 우왕이 죽으면서 이야기했어.
너희들이 나를 신돈의 아들이라 하지만 왕씨는 용의 자식인 까닭에 겨드랑이에 비늘이 있으니 와서 보시오.
이에 주위 사람들이 실제로 확인해 보니 진짜 비늘이 있었다고 해.
비늘이다.
이에 대해선 이중환도 믿기에 어려웠는지 이렇게 적었어.
참으로 이상한 일이다.

태조 이성계가 조선을 건국할 당시 이성계의 오른팔 역할을 했던 인물이 정도전이란 사람이야.
조선
정도전
1342~1398
정도전은 비록 고려가 멸망했다 해도 고려의 왕실 사람들은 모두 제거해야 한다고 생각했지.
언제 반란을 일으킬지 몰라…. 죽이자.
무서워!
그래서 고려의 왕실 사람들에게 섬으로 귀양을 보낸다고 말하고는 왕씨들을 가득 태워 바다로 데리고 나가서는 배 밑에 구멍을 뚫어서 가라앉게 했어.
강화도
꼬르륵
이제야 안심이군.
결국 왕씨 가운데 명망이 있고, 벼슬하던 자들은 모두 제거되었고
王
나머지들은 달아나서 성마저 마(馬)씨, 옥(玉)씨, 전(全)씨 등으로 바꾸어 왕(王)이란 글자를 새 성 속에 교묘히 숨겨 놓고 살 수밖에 없었지.
馬
玉
全

그런데 이것이 후에 너무 지나쳤나 싶었는지
고려
음…
세종 때 이르러서야 왕순례라는 한 사람을 찾아내서 이 사람에게 논밭을 내리고 벼슬을 주어 고려 왕실에 대한 제사를 받들게 했다고 해.
세종 1397~1450
받거라!
망극하옵니다!
왕순례
벼슬
휙
사실은 고려의 멸망을 안타깝게 여기던 사람들을 무마시키기 위한 일종의 회유책이었겠지만
이 정도면 고려 추종자들도 이해하겠지?
…
…
이미 대부분의 왕씨는 찾아볼 수 없게 된 상태였으니 생색내기나 다름없다고 봐야겠지?
고려 왕조의 일은 나도 안타깝게 생각합니다.
얼씨구
고려가 멸망할 때 자주 거론되는 충신이 바로 정몽주와 최영이야.
정몽주 1337~1392
최영 1316~1388
정몽주는 끝까지 고려를 지키려고 노력했던 인물인데,
내놔라~
이성계
안 된다!
고려
결국 개성의 선죽교에서 이성계의 아들인 이방원의 부하에게 죽임을 당하게 되지.
크악

이에 대해 이중환은 "충성스러운 혼과 굳센 넋이 죽은 뒤에도 살아 있음을 느낄 수 있다."라고 하여 대단히 좋게 평가하고 있어.
이 몸이 죽고 죽어… 님 향한 일편 단심이야 가실 줄 있으랴
최영은 정몽주와 함께 고려의 충신으로 알려져 있어.
특히 '황금 보기를 돌같이 하라.'는 말을 평생 실천하여 검소한 생활을 했다고 해.
황금보기를 돌같이 하라.
꺼억
배부르다
그래서 죽임을 당할 때에도 이런 말을 남겼어.
내 생전에 사리사욕을 채웠다면 내 무덤에 풀이 날 것이고 그렇지 않으면 풀이 나지 않을 것이다!
실제로 무덤에 풀이 나지 않았다고 해.
반짝
최영
고려에 대한 충성심과 그 검소함 때문에 오늘날에도 최영에 대한 평가는 대단히 높은 편이야.
고려
good
그런데 이중환은 정몽주에 대해서는 좋은 평가를 내렸으면서도 최영에 대해서는 "국사를 잘못 다스려 끝내 나라를 남의 손에 넘어가게 했다."라고 하면서 다소 매정한 평가를 하고 있어.
조선
고려

무학대사와 조선의 도읍지 한양

▲
무학대사

무학대사의 본성은 박씨이며, 이름은 자초입니다. 18세에 승려가 되었으며 1353년에는 중국 원나라에 유학을 가서 나옹선사를 만나서 가르침을 받았다고 합니다. 이후 귀국하여 수도하다가 조선이 개국한 직후 왕사(임금의 스승)를 지낸 승려입니다.

조선을 세운 태조 이성계는 무학대사를 무척이나 신뢰하였으며, 실제로 왕과 승려를 떠나 무척 친한 사이였다고 합니다. 전해오는 이야기에 따르면 둘 사이의 인연은 태조가 조선을 건국하기 전부터 있었다고 합니다. 무학대사가 함경도 안변의 석왕사라는 절에서 있을 때, 이성계가 찾아와 꿈 해몽을 부탁한 후 자신이 왕이 될 것을 알았다는 것이 바로 그것이죠. 비록 이 이야기가 전설이기는 하나 그 만큼 이성계와 무학대사가 깊은 인연이 있었음을 나타낸다고 볼 수 있습니다.

이성계가 새 왕조를 건국한 후 무학대사는 왕사로 임명됩니다. 태조는 조선을 건국 후 고려의 수도였던 개성을 떠나 새로운 곳으로 천도를 계획합니다. 아무래도 태조의 입장에서는 고려의 개성에 포진한 옛 고려 귀족들이 눈엣가시처럼 느껴졌을 겁니다. 자신에게 적대적인 세력과 같이 지내는 것이 쉽지는 않았겠죠. 이때 새 도읍지로 맨 처음 계룡산이 언급되었으나 계룡산의 경우 국토의 남쪽에 치우쳐 있는데다, 풍수지리상 큰 결점이 있다는 의견이 제기되어 제외가 됩니다. 이에 한양이 새로운 도읍지의 후보로 떠올랐으며, 태조는 직접 한양을 둘러본 후에 무학대사에게 의견을 물어봅니다. 사실 무학대사는 승려이기도 했습니다만, 풍수지리에도 굉장히 밝았습니다. 무학대사는 한양의 사면이 높고 수려하며, 중앙이 평평하므로, 성을 쌓아 도읍을 정할 만하다고 하며 찬성을 합니다.

▲
정선 인왕제색도.
한양의 풍수지리상의 주산인 인왕산은 정도전의 주장으로 우백호가 되었으나 이후 대한민국 건국 후 청와대가 들어서면서 주산이 되었다.

이에 태조는 무학대사의 말에 만족하고는 이 일을 정도전, 하륜 등에게도 명령을 내려 천도 문제를 상의하게 합니다.

이때 다른 설에 의하면 무학은 인왕산을 주산으로 삼고 북악산을 좌청룡, 남산을 우백호로

삼으려 했다 합니다. 하지만 정도전 등이 강력하게 반대하는 바람에 결국 북악산을 주산으로 하여 인왕산을 우백호, 낙산을 좌청룡으로 하게 되었다 합니다. 이때 이 일을 두고 무학에 관한 설화가 등장하게 됩니다. 이 설화에 의하면 무학대사는 북악을 주산으로 했을 때 종묘사직이 200년을 넘기지 못할 염려가 있다며 반대하였다 합니다. 그런데 이로부터 딱 200년 후 1592년에 임진왜란이 터지게 됩니다. 또한 무학대사는 천도를 하면서 조선 왕조가 5백년 뒤에 멸망할 것을 알았기 때문에 나라의 수명을 늘리려고 인왕산 선바위에 와서 천일기도를 했다 합니다. 만일 선바위가 한양 도성 안에 포함되면, 그것이 가능하다는 신의 계시를 받았으나 결국 정도전의 주장에 밀려 무학의 주장은 받아들여지지 않았습니다. 그러자 무학이 나라의 수명이 500년에 불과하다며 통탄했다고 합니다. 이러한 무학대사의 예언 능력에 관한 설화들은 그가 아마 풍수지리에 능통했기 때문에 나온 이야기였을 겁니다.

그 외에도 무학대사는 한양천도와 관련하여 전해 내려오는 몇 가지 설화가 있습니다. 한양에 도읍을 하려고 했을 때 무학은 원래 지금의 왕십리 자리에 궁궐을 지으려고 했다는 겁니다. 이때 무학은 지금의 왕십리에서 검은 소를 타고 지나가던 한 노인을 만났는데, 그 노인이 소를 때리면서 무학만큼이나 미련하다고 꾸짖었다는 겁니다. 이에 무학이 크게 느낀 바가 있어 이 노인에게 가르침을 청했고, 그 노인이 십 리를 더 가라는 조언을 해 주었다 합니다. 그리하여 이곳이 '왕십리往十里' 라 불리게 되었으며, 이곳에서 십 리를 더 간 곳이 오늘날 경복궁이 있는 곳이라 합니다. 그리고 어떤 설화에서는 바로 이 노인이 우리나라 풍수지리의 시조라 불리는 도선국사였다고도 합니다.

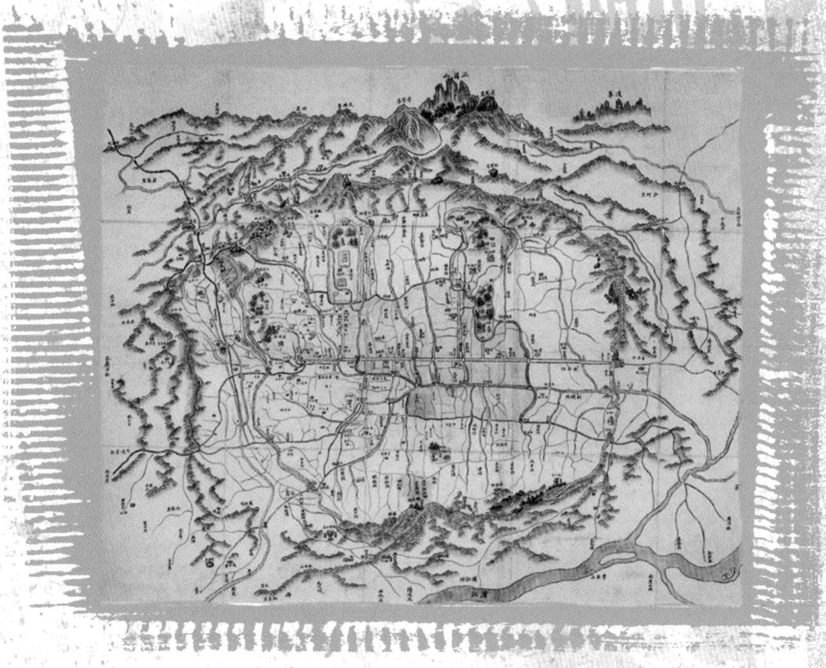

▲ 조선 시대 도성도. 18세기 채색 필사본. 그림 우측 중앙의 궁궐을 기준으로 뒤쪽이 주산인 북악산, 양쪽으로 인왕산과 낙산이 보인다.

이처럼 무학대사가 한양 천도와 관련하여 여러 설화의 주인공이 될 수 있었던 원인은 그가 태조 이성계와 가까운 사이였으며, 실제로 한양 천도에 관여를 했기 때문이기도 합니다만, 또 다른 이유는 무학대사에 대해 조선 백성들이 그 만큼 많은 애정과 기대를 갖고 있었기 때문이 아닌가 합니다.

제5장
복거총론-
어디가 살기 좋은 땅일까?
여러분은 사람 살기 좋은 곳이 어떤 곳이라고 생각해?
명당
아마 여러분의 부모님은 땅값이 비싼 곳, 아파트 가격이 비싼 곳이라고 생각하실 것 같고,
굿!
두 배로 올랐어!
지금 취업을 못해서 집안에서 뒹굴뒹굴 구르고 있는 삼촌이나 이모는 취업하기 좋은 곳이라고 할 것 같고,
취업 하고 싶다.
월간 취업
반면에 직장에서 은퇴해서 여유가 있는 할아버지나 할머니는 공기 좋고, 자연 좋은 곳이라고 하실 것 같아.

이렇게 살기 좋은 곳에 대한 생각은 사람마다 다를 거야.
난 여기가 제일 좋아~
하지만 그럼에도 불구하고 몇 가지 공통점을 발견할 수가 있는데,
그 중의 하나가 사람의 기본적인 욕구를 해결해 주는 곳이라는 거야.
기본적인 욕구
기본적인 욕구라고 하면, 일단 경제적인 욕구가 있겠지. 무엇보다도 먹고 사는 문제가 해결되어야 하니까.
오늘은 돈가스 먹자
먹고 사는 문제가 해결된 후에는 보고 즐길 것이 있으면서 자연환경도 좋은 곳에 살면 더욱 좋을 거야.
아~ 공기 좋다!
야호~
더불어 혼자 있으면 너무 심심하니까 친구들도 함께 있으면 더욱 좋겠지.
《택리지》에서도 사대부들이 살기 좋은 곳을 선택할 때 고려해야 할 조건 몇 가지를 언급하고 있어.
조건?
고려해야 할 조건
"첫째가 지리(地理)가 좋아야 하고, 둘째는 생리(生利)가 좋아야 하며, 셋째는 인심(人心)이 좋아야 하고, 넷째는 산수(山水)가 좋아야 한다.
지리
생리
인심
산수
1
2
3
4
이 중에서 하나라도 모자라면 좋은 땅이라 할 수 없다."고 하고 있어.
우리는 하나!
인심
생리
산수
지리
여기는 좋은땅

여기서 '지리'란 풍수지리를 말하고 '생리'는 경제적 이득을 얘기해.

풍수지리
경제적 이득
지리
생리

'인심'은 마을 사람들의 마음 씀씀이가 넓고 좋아야 한다는 얘기고, '산수'는 자연환경이 좋아야 한다는 것이지.

산
수
인심

이러한 조건은 오늘날에도 고려해야 할 것들이야. 사실 풍수지리는 과거에 비해 그 비중이 많이 약해지긴 했지만 오늘날에도 중요하게 생각하는 사람들이 있어.

자네, 저쪽에 아버지 묏자리 쓰게. 잘 풀릴 거네.

그러면 《택리지》에서는 왜 이러한 조건들을 중요시할까?

인심
산수
생리
지리
택리지

그 이유는 풍수지리상 아무리 좋은 땅도 먹고 살기 힘든 지역이라면 곤란하고,

난 괜찮아.

먹고 살기 괜찮아도 풍수지리가 좋지 않으면 대를 이어 오랫동안 살아가기 힘들기 때문이라고 해.

으악

당신이 잘못했잖아!

또한 마을 사람들의 인심이 나쁘면 다툴 일이 많을 것이고,

더불어 자연환경이 좋지 않다면 마음이 풍요롭지 못하기 때문이라고 하고 있지.

답답해.

그러면 이제부터는 이 책에서 말하는 살기 좋은 곳에 대한 조건들에 대해서 좀 더 자세하게 살펴볼게.

살기 좋은 곳

제5-1장
지리, 풍수지리가 좋은 곳
《택리지》에서는 사대부가 살 만한 곳을 정할 때 고려해야 할 가장 중요한 조건으로 지리(地理)를 말하고 있어.
지리
조선시대에는 지리라는 말이 풍수지리(風水地理)를 뜻한다고 했었지?
풍수지리
오~ 그래.
풍수지리란 한자로 바람 풍(風), 물 수(水), 땅 지(地), 이치 리(理)야.
風 바람 풍
水 물 수
地 땅 지
理 이치 리
한자 그대로 풀이하면 바람과 물을 이용하여 땅의 이치를 파악하는 것인데,
風
水
地
理
이렇게 하면 우리들이 살아가는 데 상당한 도움이 된다는 것이지.
도움
삶
삶
이것이 사실이라면 정말 풍수지리에 대해 자세히, 그리고 열심히 알아 봐야겠지?
자세히~
뭐야? 이 변태들!
풍수지리

우리가 흔히 몸이 안 좋으면 기가 부족하다고 얘기하고,
氣
푸시시시...
말도 안 되는 일을 당했을 때는 기가 막힌다고 하지.
헉!
또 한의원에 가면 기가 부족하다면서 보약을 먹어야 한다는 얘기도 들어봤을 거야.
기가 약해! 이걸 먹어.
네.
그럼 과연 기라는 게 뭘까? 기는 우리 몸 속에 있는 일종의 생명에너지라고 할 수 있어.
흔들 흔들
으~ 기가 허해서 힘들당!
이 기라는 것에 대해서 동양에서는 예로부터 그 존재를 믿어 왔는데,
서양에서는 그렇지 못해. 왜냐하면 아직까지 그 존재를 과학적으로 입증하는 데 한계가 있기 때문이야.
후 아 유?
마이 네임….
그럼에도 불구하고 많은 사람들은 우리 몸 속에 기가 존재하고 있고, 또 우리 몸의 각 부분을 흐르고 있다고 보고 있지.
그리고 이 기가 모이는 중요한 곳을 흔히 경혈이라고 얘기해.
기들아~
내게로 오라~
경혈
와
와아
그런데 풍수지리에서는 기가 우리 몸 속에서만 흐르는 게 아니라 우리가 살고 있는 땅에도 흐르고 있으며, 그 기가 모이는 곳이 있다는 거야.

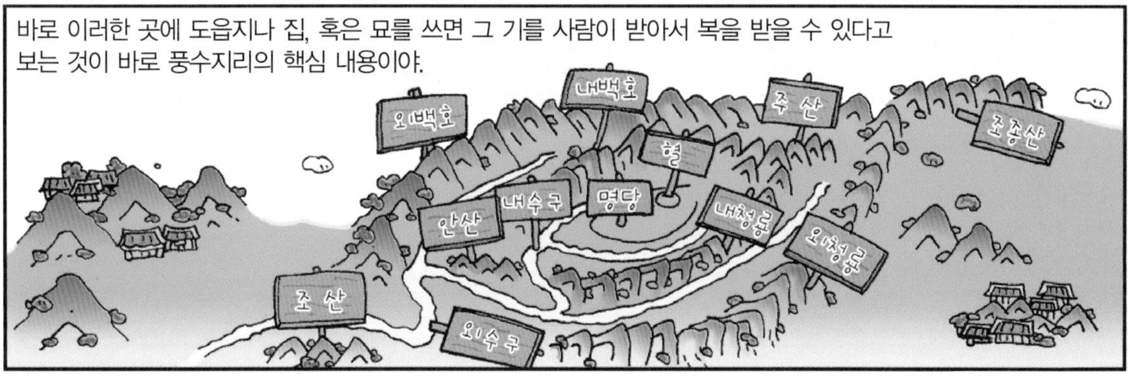
바로 이러한 곳에 도읍지나 집, 혹은 묘를 쓰면 그 기를 사람이 받아서 복을 받을 수 있다고
보는 것이 바로 풍수지리의 핵심 내용이야.
외백호
내백호
주 산
조종산
혈
내수구
명당
안산
내청룡
외청룡
조 산
외수구

이때 도읍지를 선택하거나
집을 짓는 터를 고르는 방법을
양택 풍수라 하고,
조상의 묏자리를 고르는
법을 음택 풍수라고 해.

그러면 왜 이러한 것을
풍수지리라고 부르게 되었을까?

풍수지리

옛 중국 진나라 시대의 《금낭경》이라는 책에서 "기(氣)라고
하는 것이 바람(風)을 타면 흩어져 버리고 물(水)에 닿으면
머문다.
아
風
水
氣
금낭경

그래서 바람과 물을 이용하여
기를 얻는 법을 풍수라 부르게
되었다."고 했어.
風
水
氣

그리고 이러한 풍수를 가지고 땅의
좋고, 나쁨을 점치는 사람을
'풍수사', 또는 '지관'이라고 불렀어.
여긴 풍수가
좋구나~
지관

원래 풍수지리설은 중국에서
시작되었는데,

中國
풍수지리

우리나라에서는 앞에서 언급했던
승려 도선이 제일 처음 시작한 것으로
알려져 있어.
히~
풍수지리

땅에 존재하는 기의 좋고 나쁨에 따라 사람의 길흉화복이 결정된다는 것은 오늘날엔 비합리적인 생각이라 보고 있어.
좋은기
나쁜기
이 사람 이상해.
조선 시대의 정약용과 같은 실학자들도 풍수지리의 비합리성에 대해 지적하기도 했지.
지관의 아들 중에서 높은 벼슬에 있는 사람이 몇 명이나 되오?
실학
다산 정약용 1762~1836
뜨끔
즉 지관이라면 풍수지리를 잘 아는 사람이므로 좋은 묏자리를 택했을 것이고,
번쩍번쩍
명당
눈이 부시다!
으악!
그러면 출세한 사람이 많아야 하는데 그렇지 못하므로 믿을 것이 못 된다는 말이지.
우리 아부지 묏자리는 명당이었는데…
풍수지리를 믿어 부모의 묏자리를 좋은 곳으로 옮긴 사람치고 재앙을 받지 않은 사람이 없었다.
뒷동산
실제로 조선 시대에는 풍수지리를 믿어서 조상의 묘를 옮긴 사람들이 적지 않았던 모양인데,
이리로
저리로
지관
바쁘다
바뻐
그 대표적인 사람이 바로 조선 말기 때 살았던 흥선대원군, 이하응이야.
척화비

그는 한 풍수가에게 명당을 찾아 줄 것을 부탁했는데,
명당을 찾아주시오.
네, 알겠습니다.
이 풍수가가 2대에 걸쳐 왕이 나올 자리로 현재의 충남 예산 가야산의 한 곳을 추천했다고 해.
가야산
그런데 문제는 그 자리에 벌써 가야사라는 절이 들어서 있던 거야.
가야산
그래서 이하응은 많은 돈을 주고 그 절을 사들인 후에, 경기도 연천에 있던 자신의 아버지 묘를 이곳으로 이장했어.
이러면 안 되는데
돈
그 덕분인지 이하응의 아들인 고종과 손자인 순종이 왕의 자리에 올랐어.
음하하
고종
순종
그 풍수가의 예언대로 된 것이지.
명당
그러면 정말 풍수지리라고 하는 것이 효과가 있는 것일까?
맞긴 맞았잖아!
비록 자신의 자손이 2대에 걸쳐 왕위에 오르지만 결국 조선의 역사는 일본에게 나라를 빼앗기면서 순종에서 끝나게 돼.
나라를 멸망시킨 마지막 왕이 자신의 자손이란 것이 과연 좋은 일이었는지는 의문스러운 일이지.
명당이라며!
안 들려 안 들려

그런데 오늘날에도 이 풍수지리를 믿는 사람들이 꽤 있어.
풍수지리
사회 지도층이라는 사람들이 더 관심을 갖고 있을 정도이지.
음~
풍수지리
○○○의원
우리나라 대통령 중에는 과거 선거에서 계속 패배하여 조상 묘를 용인으로 옮긴 사람이 있을 정도야.
용인
죽어서는 용인으로 간다는 말 기억하지? 그만큼 용인에는 좋은 묏자리가 많다고 알려져 있어.
결과는 어떻게 되었어?
우연의 일치인지는 몰라도 대통령에 당선되었지. 특별히 그 한 사람만 그런 것 아니냐고?
그 외에도 역대 대통령 후보 중에서도 같은 목적으로 조상 묘를 옮긴 사람들이 상당수 있어.
묏자리를 옮겨야지.
물론 그 사람들이 모두 대통령이 되지는 못했지만 말이야.
하지만 당대의 최고의 지식인이었던 도선이나 무학대사가 바로 풍수지리에 대해 능통한 사람들이었고,
풍수지리
조선 시대의 학자들조차도 풍수지리를 일종의 교양과목처럼 조금씩은 알고 있었다는 사실은 옛사람들이 풍수지리를 중요하게 여겼음을 말해주는 거야.
필승
풍수지리
이처럼 풍수지리는 옛 사람들이 삶에 많은 영향을 주었기 때문에 이것을 이해하는 것은 옛 사람들의 삶을 이해하는 아주 중요한 단서라 할 수 있어.
풍수지리

《택리지》에서는 사람이 살 만한 곳을 선택하는 법에 관심이 있기 때문에 양택 풍수에 관해서만 이야기를 하고 있어.
살만한 곳
양택풍수
양택 풍수는 좋은 터에서 살면 그 곳에 자리를 잡은 사람은 복을 받는다는 것이야.
양택풍수
이때 좋은 터라는 것이 오늘날의 관점에서는 좋은 자연환경을 갖춘 땅이라고 볼 수 있기 때문에 양택 풍수는 음택 풍수와는 달리 오늘날에도 설득력을 갖추고 있어.
나도 좋은 땅 찾을래~
그러면 어떻게 좋은 땅을 찾아낼 수 있을까?
정말 좋은 땅
그 방법으로 《택리지》에서는 여섯 가지를 살펴야 한다고 해.
가장 중요한 것이 바로 수구(水口), 물이 빠져나가는 입구야.
앗!
水口
촤아악
강물의 출구가 엉성하고 텅비어서 넓기만 하면 땅이 비옥해도 좋지 않다고 해.
일어나!
수구
땅
그러므로 집터를 잡을 때는 강물이 흘러 나가는 곳이 좁으면서도 그 안쪽에 들이 펼쳐진 곳을 구해야 한다고 하고 있어.
물은 흔히 풍수지리에서 재물을 뜻하는데 이 재물이 확 빠져 나가면 안 되겠지?
악~ 내 돈!
그래서 강의 출구가 보일 듯 말 듯하면서 좁은 형태를 띠는 것이 좋다고 봐.
이를 현대적으로 해석하면 이런 곳이 강물을 이용해서 농사를 짓기가 쉽기 때문이야.
달 달 달

두 번째 들판의 형세가 중요하다고 하는데, 일단 들이 넓을수록 좋다고 해.
그 이유로 사람은 밝은 기운을 받고 살아야 하는데, 하늘이 곧 밝은 빛이므로 하늘이 잘 보이기 위해서는 들이 넓으면 좋다는 것이지.
이것은 들이 넓어야 농사지을 땅도 많고, 햇빛도 잘 받아 농작물이 잘 자라기 때문이라고 볼 수 있어.
더불어 들이 넓으면 지형이 단조로워서 급격한 기후변화가 나타나지 않아 질병도 적을 수밖에 없지.
사람들이 다 어디 갔지?
이런 곳은 사람들이 많이 거주하기 때문에 인재가 태어날 확률도 높아.
101번째 인재
반면에 가장 꺼려해야 할 곳으로 사방에 산이 높이 솟아서 해가 늦게 뜨고 일찍 지며, 밤에 북두칠성이 보이지 않는 곳이라 말하고 있는데,
농사를 지어야 하는 곳에서 낮이 짧으면 그만큼 일할 시간이 줄어드는 것은 물론 농작물이 자라기에도 불리하기 때문이야.
뉘엿
내일 봐!
벌써!
또한 이런 곳은 음기가 쉽게 침입하여 잡귀의 소굴이 되기도 하며,
더불어 산안개와 나쁜 기운이 사람을 병들게 하기 쉽다고 하고 있어.
못 살겠다.
이런 곳은 아무래도 습기가 많아서 사람들이 병에 잘 걸리기 때문이야.
콜록!

세 번째는 마을 북쪽에 있는 산(주산)의 모양인데, 그 모양에 따라 순위를 매기고 있어.
1
2
3
첫째는 산의 모양이 수려하고 단정하며 청명하고 아담한 것이고,
둘째로 산의 협세가 온화하고 넉넉하여 큰 집이나 높은 궁전 같은 곳이지.
셋째는 사방의 산이 멀리 있어 들이 널찍하고, 산줄기가 평지로 뻗어 내려 강을 만나 그친 곳이라고 해.
가장 꺼려해야 할 곳은 뻗어 내린 산줄기가 약하고 둔하여 생기가 없거나, 산 모양이 무너지고 기울어져 길한 기운이 적은 곳이라 하고 있어.
그러면서 땅에 밝은 기운과 길한 기운이 없으면 인재가 나지 않으므로 산세를 가려서 살아야 된다고 하고 있지.
큰 인물이 될 거요.
그래요.
결국 산의 모양이 수려하고 청명해야 그것을 보는 사람의 마음도 좋아지기 때문에 그러한 곳을 골라서 살라는 말로 생각하면 될 것 같아.
경치 좋다~
네 번째는 흙의 빛깔을 들고 있는데,
흙
부끄 부끄
이것은 흙의 빛깔이 먹는 물과 관계가 있기 때문이야.
벌컥 벌컥
물
흙
대체로 토질이 모래로서 굳고 조밀하면 샘물이 맑고 차다고 해.
이런 물이 있는 곳이라면 살기에 적당하다고 보지.

반면에 붉은 진흙, 검은 자갈밭이나 황토라면 이는 죽은 흙이기 때문에 이곳의 우물이나 샘물은 반드시 독기가 있어 살 만한 곳이 못된다고 하고 있어.
벌컥 벌컥
안 돼! 먹지 마!
옛날처럼 위생 시설이 발달하지 못했던 때에 질병에 걸리는 주요 이유 중의 하나가 뭔지 알아?
끙 끙
먹지 말라니까
바로 샘물이나 우물의 오염과 관련이 있어.
큰일났다!
이러한 오염된 물을 잘 걸러 주는 것이 바로 좋은 토양이라고 보고 있는 것이야.
즉 오늘날로 얘기하면 정수기 역할을 잘 하는 토양이 좋다는 것이지.
다섯 번째로 물을 들고 있는데, 물이 없는 땅은 사람이 살 곳이 못된다고 하고 있어.
이글 이글
물~
또한 물은 산과 짝을 이뤄야 하며, 물이 흘러 들어오고 나가는 것은 반드시 풍수지리에 합당해야 하는데, 그래야 비로소 강산의 정기를 모아 기르게 된다고 하고 있어.
山
水
집터는 물이 있어야 재산이 생기므로 물이 고여 있는 물가에는 부유한 집과 이름난 마을이 많다고 해.
안동하회마을
비록 산중이더라도 시냇물이 모이는 곳이라야 대를 이어 오래 살 만한 터라 말하고 있지.

조선 시대에는 농업이 가장 중요한 산업이었기 때문에 물을 얻을 수 있는 곳이 중요할 수밖에 없었어.
비가 언제쯤 오려나….
쨍 쨍
쨍쨍
또한 강가의 마을들이 배를 이용한 상업으로 많은 부를 획득할 수 있었기 때문에 물가에는 부유한 마을들이 많을 수밖에 없었지.
여섯 번째는 조산과 조수를 봐야 한다고 하고 있어.
여기서 조산이란 마을 앞에 멀리 보이는 높은 산을 가리키고, 조수는 마을 앞으로 흘러드는 강물을 말해.
조산
조수
조산에 추한 봉우리나 비뚤어지고 외로운 봉우리가 있거나 무너지거나 떨어져 나간 모양이 있거나, 이상한 돌과 괴이한 바위가 있으면 모두 살 만한 곳이라 할 수 없다고 하고 있어.
으아!
괴물이다!
산은 멀리 떨어져 있으면 맑게 보이고, 가까이 있으면 밝고 깨끗해 보여야 한다고 하지.
한번 바라보면 사람들이 기쁨을 느낄 수 있는 곳 말이야.
야호~
야호~

조수의 경우에는 작은 시내와 작은 개울의 경우 물이 거슬러 흘러드는 것이 좋은 반면 큰 내와 강은 거슬러 흘러드는 것이 좋지 않다고 해.
대개 큰 강이 거슬러 흘러드는 곳은 집터나 묏자리를 가릴 것 없이 처음에는 흥할지 모르나 오래 가면 필히 망한다고 하지.
이러한 곳은 대체로 홍수의 위험이 높기 때문에 주거지로서는 부적합한 곳이야.
집 떠내려 간다~
흘러드는 물은 구불구불하게 유유히 흘러 들어오는 것이 좋다고 해.
반면에 강물이 활을 쏜 것처럼 흘러들면 좋지 않은 것이라 여기지.
이 같은 풍수지리가 우리나라에 적용된 일반적인 마을 형태를 흔히 배산임수라고 말해.
背山臨水
등배 뫼산 임할임 물수
우리나라의 오래된 마을들은 대체로 배산임수 형태를 갖추고 있는데, 마을 뒤쪽으로는 산이 있고 마을 앞에는 강이 흐르고 있는 형태이지.
이러한 마을은 대개 남향이기 때문에 햇볕이 잘 들어 곡식이 잘 자라고 마을 뒤편의 산은 북에서 불어드는 찬 바람을 막아줄 뿐만 아니라 산에서 땔감을 구하기에도 좋지.
더구나 강이 마을 앞을 흐르기 때문에 농사 지을 물을 얻는 데도 도움이 되어서 사람들이 살기에 좋은 곳임을 알 수 있어.

이처럼 양택풍수는 사람이 살아가기에 적합한 자연환경에 대해 다루기 때문에 오늘날에도 이와 관련한 연구가 계속적으로 이루어지고 있어.
양택풍수
켁
펑
실제로 이와 관련한 논문이 발표되기도 하고 대학교에 풍수지리학과가 개설되어 있기도 해.
풍수지리학과 개설
풍수지리 -논문-
양택풍수
오늘날에는 이 풍수지리설을 응용한 인테리어 풍수라는 것이 인기를 끌고 있는데,
안녕?
풍수지리
인테리어 풍수
이것은 집의 구조, 실내 가구의 배치, 혹은 집안 인테리어의 변화를 통해 사람의 정서 함양에 도움을 주고 있기도 하지.
결국 풍수지리에서 말하는 좋은 터란!
오오!
주위가 산과 강으로 둘러싸여 있어서 어머니 품안에 있는 것처럼 편안하게 느껴지는 장소이면서 먹고 살기에도 넉넉한 곳이라고 말할 수 있을 것 같아.
어때 여러분이 살고 있는 곳도 이러한 곳이지?
내가 사는 곳은….
아닌 것 같은데?
택리지
뭐? 주변이 온통 아파트나 집이어서 산도 강도 볼 수 없다고?

제5-2장
생리, 살림살이가 풍요로운 곳
《택리지》에서는 사대부가 살 만한 곳을 정할 때 두 번째로 고려해야 할 조건으로 생리(生利)를 들고 있어.
생리
생리가 뭔데?
생리란 이익을 얻는다는 뜻인데, 경제적 이익이라고 생각하면 될 것 같아.
으악!
결국 먹고 살 만한 곳을 잘 골라야 한다는 것이지.
이중환은 경제적 이익이 중요한 이유를 "누구든 부득이 먹고 입는 일에 종사하지 않을 수 없다.
또한 위로는 조상을 받들고, 아래로는 처자와 노비를 거두어야 하므로 재산을 다스려 살림을 키우지 않을 수 없다."고 하고 있어.
큰일났다! 돈 없는데….

오늘날에는 모든 사람이 이익 추구하는 것을 당연하게 여기고 있지만 조선의 시대 상황을 감안하면 이것은 다소 파격적인 얘기라고 할 수 있어.
망측하도다.
…
왜냐고? 그것은 조선 시대의 소설인 《허생전》에 잘 나와.
허생전
《허생전》을 읽어 보았니? 허생이란 사람이 과거에 급제하기 위해 매일 공부만을 하느라 집안 살림에는 전혀 신경 쓰지 않는 모습이 나오잖아?
으이구~ 내가 미쳐.
그러다 어느 날 집안에 쌀이 떨어지면서, 처자식이 고생하는 것을 보고는 본격적으로 돈을 벌기로 마음을 먹지.
음…
배고파앙
아앙~
그리고는 장안의 갑부인 변씨를 찾아가 돈 10만 냥을 빌려서 장사를 시작해.
10만 냥만 꿔 주시오.
배포가 두둑하군.
비록 《허생전》이 소설이기는 하지만 그 당시 양반의 모습을 잘 보여주고 있어.
당시 대부분의 양반은 직업을 갖지 않은 채 벼슬에 나아가기 위한 공부를 하거나 혹은 도덕적인 인격 수양에 힘쓸 뿐이었지.
당연히 집안 살림이 엉망이었을 텐데도, 양반 체면에 땅을 파거나 장사를 할 수는 없었던 거야.
끙~

또한 인격수양을 중시하는 양반이 돈에 대해 관심을 갖는 것조차 소인배라고 여길 정도였지.
날 무시 하다니….
사실 오늘날에도 돈에 대해서 밝히는 사람을 좋게 보지는 않잖아?
쯧쯧! 돈에 눈이 멀었군.
이러한 사회 분위기 속에서 비록 사대부라고 하더라도 먹고 사는 문제를 중요하게 생각해야 된다고 강조하고 있는 것이 이중환의 남다른 면이라 할 수 있겠지.
사대부도 다같은 인간이거늘….
《택리지》에서는 "사람 살 만한 곳으로 비옥한 땅이 으뜸이다."라고 하고 있어.
으뜸
조선 시대가 농업을 중시하는 사회였음을 생각할 때 당연하다고 할 수 있는데,
밥은 먹고 살아야지.
무엇보다 벼가 잘 자라는 땅이 최고라 얘기하고 있지.
벼가 잘 자라기 위해서는 따뜻한 기후, 넓은 땅, 그리고 충분한 물이 필요해.
따뜻한 기후
충분한 물
넓은 땅
우리나라에서 따뜻하면서도 넓은 땅을 갖춘 곳은 바로 전라도의 호남, 나주평야인데,
오늘날에도 우리나라의 주요 곡창지대이지.
호남 평야
나주 평야
그런데 문제는 넓은 땅의 경우 큰 하천이 흐르게 마련인데, 이러한 곳은 늘 홍수의 위험이 있다는 거야.
꼬르륵

그래서 홍수를 막을 수 있는 대규모의 제방과 물을 관리할 수 있는 수리시설들이 필요한데,
조선 시대에는 이렇게 대규모로 제방을 건설할 능력과 수리시설을 갖고 있지 못했지.
우리나라에 이러한 수리시설이 본격적으로 들어선 시기는 일제 시기야.
엣헴!
조선 시대
일제 강점기
근대
현대
결국 전라도의 호남, 나주 평야는 넓기는 하지만 농경지로서 사용하지 못하는 메마른 땅이었던 거야.
비가 와야 할 텐데….
조선 시대의 기술력으로 홍수와 물을 관리할 수 있는 곳은 주로 큰 하천 근처가 아니라 작은 하천 주변이었어.
야호!
그렇기 때문에 《택리지》에서는 우리나라에서 가장 비옥한 땅으로 오늘날의 전라도 호남평야나 나주평야가 아니라
구례
남원
성주
진주
전라도의 남원과 구례, 그리고 경상도의 성주와 진주를 들고 있는 거야.
우린 좀 나중에….
호남 평야
나주 평야
그리고 그 다음 좋은 곳으로 경상우도, 전라좌도를 언급하고 있지.
우리도 끼워줘!
구례
남원
진주
성주
경상 우도
전라 좌도
그리고 대체로 충청도, 황해도, 평안도를 거쳐서 북쪽을 올라 갈수록 메마른 땅이 많아진다고 하고 있는데,
이것은 우리나라 기후가 북쪽으로 갈수록 추운 데다 산지가 많아지기 때문이야.
휘 이 이 이 잉
결국 산지가 대부분인 함경도 지방은 땅이 아주 메마르다고 할 수 있지. 그래서 우리나라는 북쪽일수록 사람 살기가 힘들어.
북쪽
남쪽
윽 아! 북쪽으로 가면 고생이네

《택리지》에서 벼농사와 함께 중요하게 언급하고 있는 작물이 목화인데,
벼농사가 먹는 것과 관계가 된다면 목화는 입는 것과 관계가 되는 필수적인 작물이라고 할 수 있어.
특히 목화는 겨울에 입는 솜옷을 만드는 데 꼭 필요한 옷감의 원료이기 때문에 매우 중요해.
아~ 따뜻해
목화는 원산지가 열대 지방이기 때문에 기후가 따뜻한 곳에서 재배가 잘 되는 작물이야.
우리나라에서 목화 재배가 잘 되는 곳, 역시 전라도와 경상도 지방이야.
경상도
전라도
반면 추운 날씨가 많은 강원도 영동지방과 함경도 지방은 재배가 어려운 지역이었지.
휘이이잉
함경도
강원도 영동
그 외의 지방은 대체로 재배는 가능하나 생산량은 적은 편이었어.
에개~
오늘날도 특용작물이라고 해서 상업적인 목적으로 재배하는 작물이 있는 것처럼 조선 시대에도 이러한 작물을 재배했어.
특용작물
대표적인 생산 지역과 물품이 진안의 담배, 전주의 생강, 임천과 한산의 모시, 안동과 예안의 왕골 등이야.
안동
임천
진안
한산
예안
그런데 이러한 곳에서는 그 이익을 생산하는 농민들이 가져가는 것이 아니라 부자들이 그 이익을 독점하고 있지.
우리가 길렀는데….
이익

《택리지》에서는 사람이 살 만한 곳으로 비옥한 땅이 최고라고 했는데,
오늘날에는 어떤 것 같아?
목화를 예로 들면 오늘날에는 목화를 거의 재배하고 있지 않아.
키워 봤자 돈도 안 돼.
거의 전량 수입해서 쓰고 있거든.
뿌우~
수입
그렇기 때문에 목화 재배에 좋은 땅이라고 하는 것이 지금은 별로 의미가 없지.
너 이제 필요없어! 저리 가!
목화를 재배하기 좋은 땅
마찬가지로 벼가 잘 자라는 비옥한 땅도 중요한 것은 틀림없지만 그것은 농부들이 생각했을 때 그럴 거야.
파라다이스
오늘날의 사람에게는 비옥한 땅이 중요한 것이 아니라 상업과 교통이 발달한 곳이 훨씬 중요할 거야.
뿌우
빵양
왜냐하면 그런 곳에 살아야 집값도 오르고 직장도 있을 테니까 말이야.
우아
결국 사람 살기에 좋은 땅이라고 하는 것도 사람에 따라, 시대에 따라 달라진다는 것을 알 수 있어.
좋은땅
좋은땅
좋은땅
그러면 이중환은 상업과 교통의 중요성에 대해서 몰랐을까?
…
그렇진 않아.
《택리지》에서는 비옥한 땅 다음으로 배와 수레, 사람과 물자가 모여 필요한 물건을 서로 교류하는 곳이라고 말하고 있어.

즉 상업과 교통이 발달한 곳이 비옥한 땅 다음으로 좋다는 것인데,
비옥한 땅!
형!
비옥한 땅
교통
오늘날에는 사람들이 가장 좋아하는 곳이라고 할 수 있겠지.
나 많이 컸지?
교통
옴마나
교통이 편리하면 사람들이 많이 모일 수밖에 없고, 그렇게 사람이 많이 모이면 장사하기에도 좋을 거야.
반액
골라 골라
50% 세일
와글
와글
오늘날에는 자동차 교통의 시대이기 때문에 도로가 편리한 곳이 가장 좋은 곳이라 할 수 있겠지만,
위험해! 운전 똑바로 해!
조선 시대에는 배였기 때문에, 뱃길이 편리한 곳이 가장 좋은 곳이었어.
와!
촤아
우리나라는 산이 많고 들이 적기 때문에 말이나 소가 끄는 수레가 다니기는 불리한 지형이야.
빨리 와!
끙
그렇기 때문에 사람들이 이동을 하거나 물건을 실어 나르는 데 가장 좋은 수단은 배일 수밖에 없었어.
음메
와
와
마침 우리나라는 삼면이 바다여서 배를 이용하기가 더욱 편했지.
배가 바다와 하천을 다니면서 사람과 물자를 실어 나를 때, 사람과 물자를 싣거나 내리는 곳이 바로 포구야.
그래서 포구에 사람과 물자가 모일 수밖에 없고, 이곳을 중심으로 상업이 발달했어.
와글
와글
포구
포구
상업의 중심지

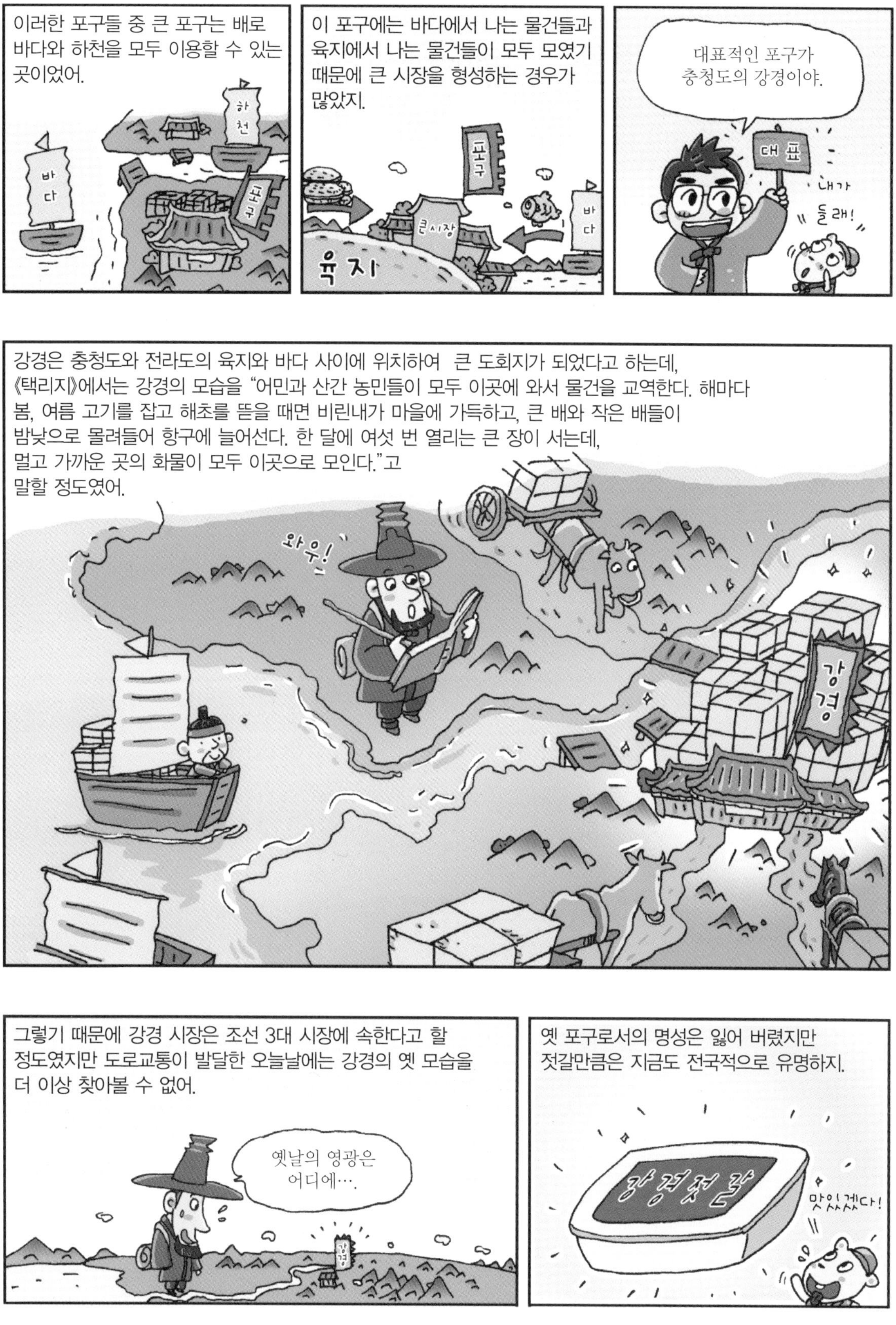
이러한 포구들 중 큰 포구는 배로 바다와 하천을 모두 이용할 수 있는 곳이었어.
바다
하천
포구
이 포구에는 바다에서 나는 물건들과 육지에서 나는 물건들이 모두 모였기 때문에 큰 시장을 형성하는 경우가 많았지.
포구
큰시장
바다
육지
대표적인 포구가 충청도의 강경이야.
대표
내가 들래!
강경은 충청도와 전라도의 육지와 바다 사이에 위치하여 큰 도회지가 되었다고 하는데, 《택리지》에서는 강경의 모습을 "어민과 산간 농민들이 모두 이곳에 와서 물건을 교역한다. 해마다 봄, 여름 고기를 잡고 해초를 뜯을 때면 비린내가 마을에 가득하고, 큰 배와 작은 배들이 밤낮으로 몰려들어 항구에 늘어선다. 한 달에 여섯 번 열리는 큰 장이 서는데, 멀고 가까운 곳의 화물이 모두 이곳으로 모인다."고 말할 정도였어.
와우!
강경
그렇기 때문에 강경 시장은 조선 3대 시장에 속한다고 할 정도였지만 도로교통이 발달한 오늘날에는 강경의 옛 모습을 더 이상 찾아볼 수 없어.
옛날의 영광은 어디에….
강경
옛 포구로서의 명성은 잃어 버렸지만 젓갈만큼은 지금도 전국적으로 유명하지.
강경젓갈
맛있겠다!

그런데 《택리지》에서는 농업과 상업으로 경제적 이익을 얻는 방법보다 더 큰 이익을 얻을 수 있는 방법으로 국제무역을 언급하고 있어.

으하하
국제무역
농업
상업

조선 시대의 국제무역은 북으로 청나라와 통하고, 남쪽으로는 일본이랑 통하는데, 여러 해 동안 국제무역에 종사하여 재산이 수만 금에 이른 사람들도 있을 정도였다고 해.

으하하
국제무역이 최고!
중국
조선
일본

이런 사람이 가장 많이 사는 곳이 바로 한양이었고 그 외 개성, 평양, 안주를 들고 있는데, 이 고을들은 모두 청나라의 도읍 연경과 통하는 길에 위치한 고을들이야.

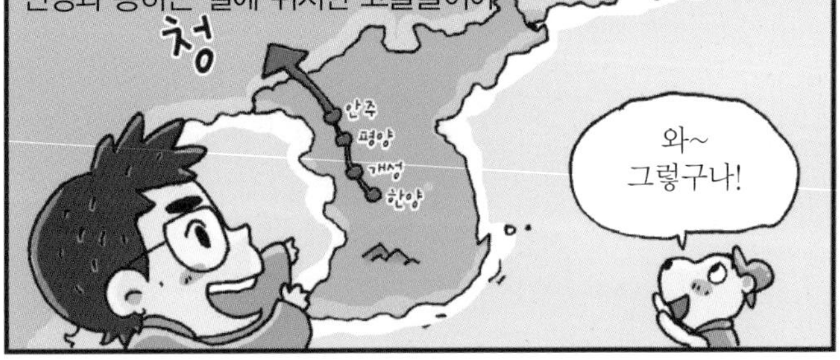

청
안주
평양
개성
한양
와~
그렇구나!

일본과의 무역에 대해서는 별다른 언급이 없는데,

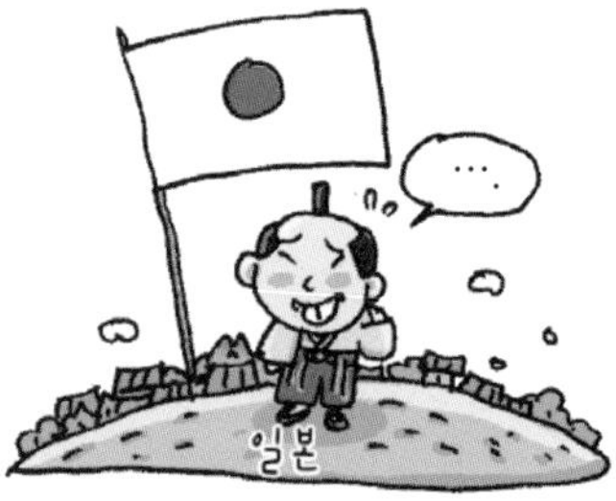

…
일본

앞에서 경상도 밀양에 관해 말할 때 한양에서 내려온 역관(통역관)들이 동래의 왜관에 머물고 있는 일본인과 장사하여 많은 이익을 얻는다는 말 기억하지?

왜관

《택리지》에서는 "국제무역으로 얻는 이익이 배를 통해 얻는 이익에 비할 바가 아니다."고 밝힐 정도였어.

…
이익

그런데 《택리지》에서는

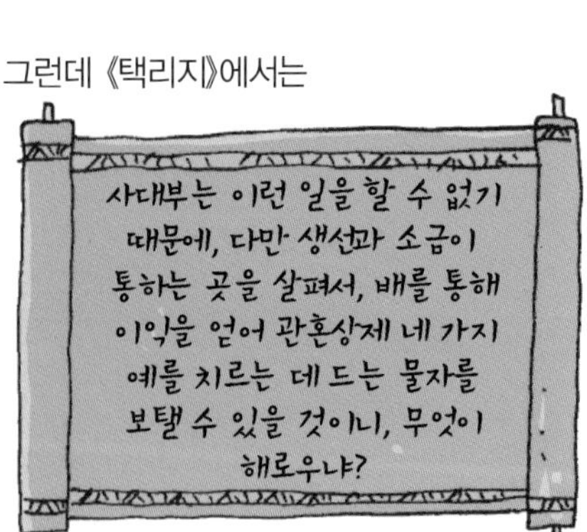

사대부는 이런 일을 할 수 없기 때문에, 다만 생선과 소금이 통하는 곳을 살펴서, 배를 통해 이익을 얻어 관혼상제 네 가지 예를 치르는 데 드는 물자를 보탤 수 있을 것이니, 무엇이 해로우냐?

하고 묻고 있어.

즉 경제적인 면을 소홀히 해서 제 역할을 못하는 것보다는 경제적인 이익을 얻어서 사대부로서의 역할을 다하는 것이 더 중요하다는 것이지.

여러분들
생각은 어때?

제5-3장
인심, 마음 씀씀이가 넉넉한 곳
《택리지》에서 사대부가 살 만한 곳을 정할 때 고려해야 할 세 번째 조건으로 인심(人心)을 들고 있어.
인심
사람이 혼자서 살아가는 것이 아닌 이상 주변 사람들의 인심이 좋아야 하는 것은 당연하다고 하겠지.
여러분 주위에 살고 있는 친구들이 모두 성격이 이상한 친구들만 살고 있다면 정말 그런 곳에는 살고 싶지 않을 거야.
우씨
이중환은 인심이 중요한 이유를 "살 고장을 고를 때 어진 풍속을 가리지 않으면 자신뿐만 아니라 자손에게도 해가 되어 좋지 않은 풍속에 스며들 우려가 있다.
헉!
으아아앙
그러므로 살 터를 잡는 데 그 지방의 풍속을 살피지 않을 수 없다."고 말하고 있어.
살 곳을 잘못 고르면 자기만 고생하는 것이 아니라 자자손손 고생한다는 말이지.
할아부지
아부지~
으아앙
미안혀.
그러면서 맹자의 어머니가 아들 교육을 위해 세 번이나 이사한 것을 예로 들었어.
공동묘지
싸다싸!
시장
서당
맹모삼천지교

오늘날에는 많은 사람들이 도시에 살고 있어서 옆집에 누가 사는지도 잘 모르고,
?
옆집에서 무엇을 하든 신경쓰지 않는 무심한 사회가 돼 버려 인심의 중요성이 예전에 비해 많이 감소한 편이지.
하지만 그 무심함 때문에 옆집에 어려운 사람이 있어도 모른 척하는 게 그리 좋아 보이지 않는 것도 사실이야.
맞아!
그러면 《택리지》에서는 우리나라 각 지방 중에서 어느 곳을 가장 인심이 좋다고 생각할까?
글쎄?
택리지
물론 이 인심에 대한 평가는 어디까지나 조선 시대에 있었던 평가라는 것을 꼭 기억해 주길 바라.
음….
이 조선 시대에 있던 평가를 오늘날에도 똑같은 것처럼 여기는 것은 지나친 생각이야.
여기가 어디지?
응?
왜냐하면 평가라고 하는 것은 시대에 따라, 개인이 처한 환경에 따라 달라질 수밖에 없기 때문이지?
오 오!
짝!
짝!
앞에서 조선 시대 3대 도둑인 임꺽정, 홍길동, 장길산에 대해 얘기했었는데,
이들은 그 시대의 신분제도에 불만을 가지고 있었고 탐관오리나 욕심이 많은 부자들을 혼내 주었을 뿐만 아니라, 그 재물을 빼앗아 백성에게 나눠 주었다고 알려져 있지. . .

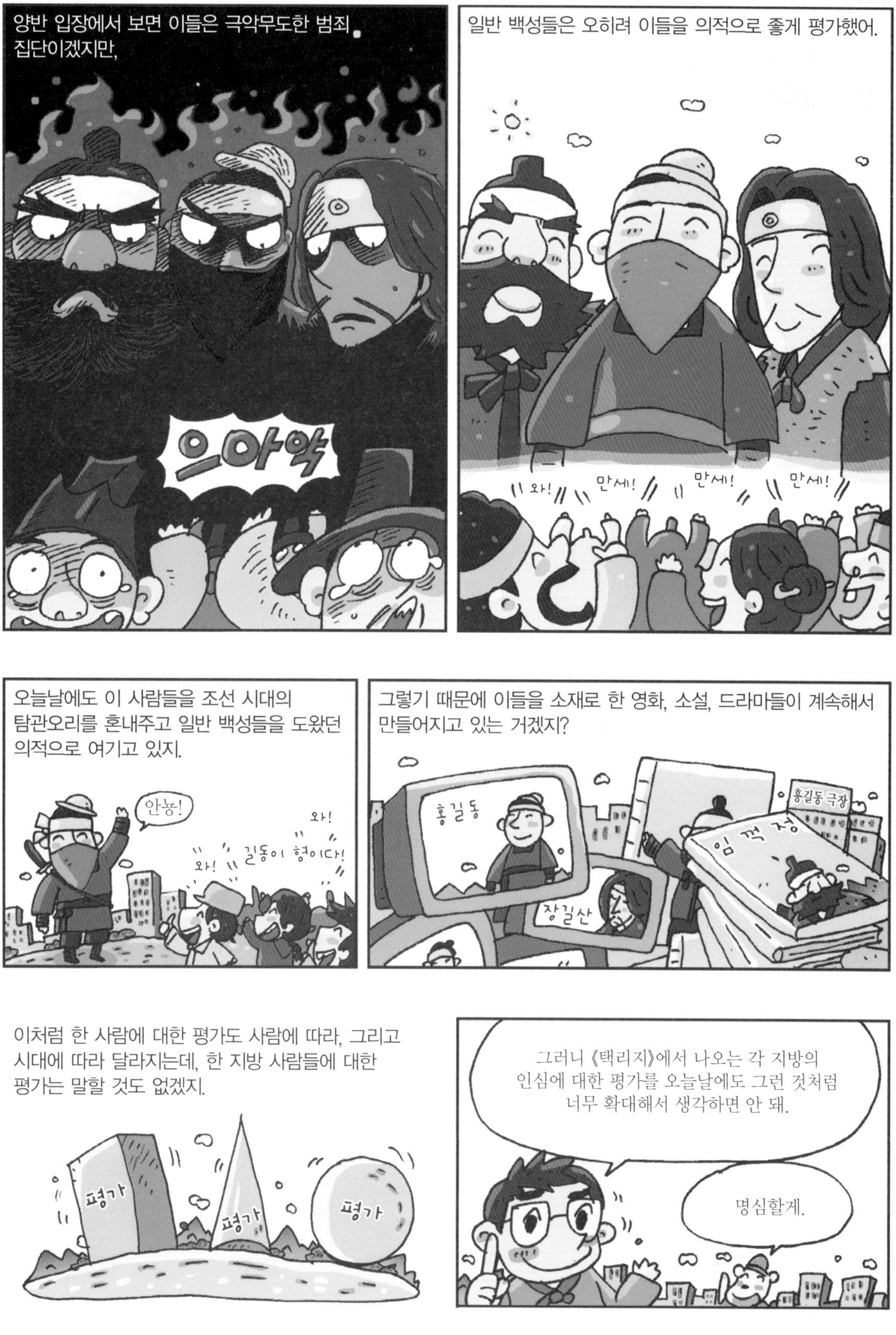
양반 입장에서 보면 이들은 극악무도한 범죄 집단이겠지만,
으아악
일반 백성들은 오히려 이들을 의적으로 좋게 평가했어.
와!
만세!
만세!
만세!
오늘날에도 이 사람들을 조선 시대의 탐관오리를 혼내주고 일반 백성들을 도왔던 의적으로 여기고 있지.
안뇽!
와!
와!
길동이 형이다!
그렇기 때문에 이들을 소재로 한 영화, 소설, 드라마들이 계속해서 만들어지고 있는 거겠지?
홍길동
홍길동 극장
임꺽정
장길산
이처럼 한 사람에 대한 평가도 사람에 따라, 그리고 시대에 따라 달라지는데, 한 지방 사람들에 대한 평가는 말할 것도 없겠지.
평가
평가
평가
그러니 《택리지》에서 나오는 각 지방의 인심에 대한 평가를 오늘날에도 그런 것처럼 너무 확대해서 생각하면 안 돼.
명심할게.

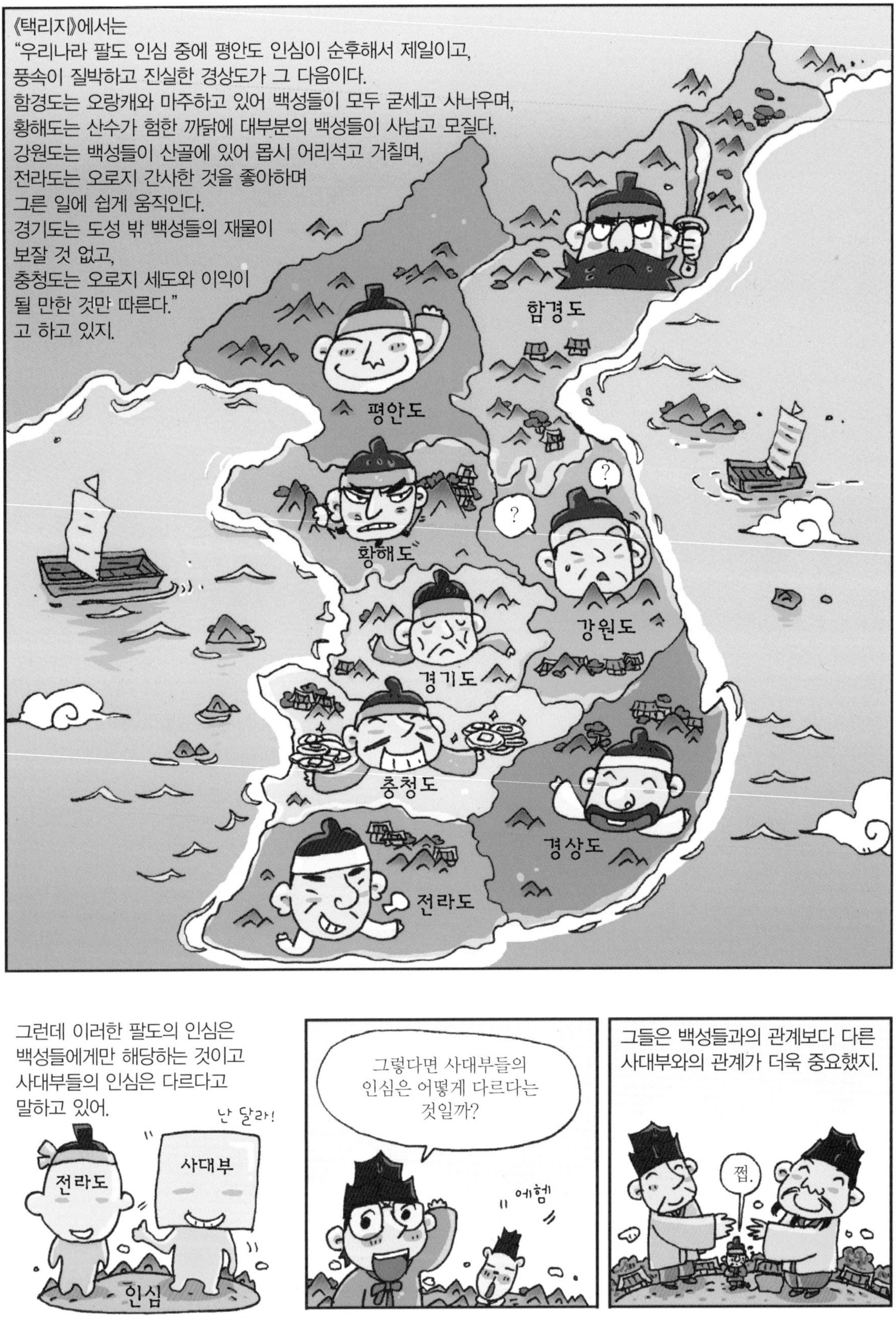
《택리지》에서는
"우리나라 팔도 인심 중에 평안도 인심이 순후해서 제일이고,
풍속이 질박하고 진실한 경상도가 그 다음이다.
함경도는 오랑캐와 마주하고 있어 백성들이 모두 굳세고 사나우며,
황해도는 산수가 험한 까닭에 대부분의 백성들이 사납고 모질다.
강원도는 백성들이 산골에 있어 몹시 어리석고 거칠며,
전라도는 오로지 간사한 것을 좋아하며
그른 일에 쉽게 움직인다.
경기도는 도성 밖 백성들의 재물이
보잘 것 없고,
충청도는 오로지 세도와 이익이
될 만한 것만 따른다."
고 하고 있지.
함경도
평안도
황해도
?
?
강원도
경기도
충청도
경상도
전라도
그런데 이러한 팔도의 인심은
백성들에게만 해당하는 것이고
사대부들의 인심은 다르다고
말하고 있어.
난 달라!
전라도
사대부
인심
그렇다면 사대부들의
인심은 어떻게 다르다는
것일까?
에헴
그들은 백성들과의 관계보다 다른
사대부와의 관계가 더욱 중요했지.
찝.

이때 사대부들의 관계는 주로 정치적 성향에 따라, 즉 어떤 붕당에 속해 있는가에 따라 달라진다고 볼 수 있어.
붕당
어차피 사대부들은 벼슬길에 나아가 정치를 할 사람들이기 때문에 정치적 성향, 즉 붕당에 따라서 사대부 인심이 결정된다는 거야.
사대부 인심은 내가 결정해.
붕당
같은 붕당의 사람에게는 잘해주고, 다른 붕당의 사람에게는 가혹하게 대하기 때문에 살 곳을 고를 때에는 이러한 붕당을 고려해야만 한다는 것이지.
으르릉
으르릉..
붕당의 형성은 조선 선조 때에 있었던 이조전랑의 자리를 두고 다툼이 일어나면서 시작되었어.
우리 거야.
윽
우리 거야.
이조전랑
이조전랑은 그 직위는 낮으나 인사권을 갖고 있는 자리이기 때문에 그 권한이 막강했어.
불끈!
이조전랑
즉 승진과 관련하여 막강한 힘을 행사할 수 있는 직위였던 것이지.
1
2
3
4
5
6
직위
어디다 둘까?
그렇기 때문에 누가 이조전랑이 되는가는 늘 관심의 대상이 될 수밖에 없었어.
엣헴!
이조전랑
이때 이조전랑에 김효원이란 사람이 추천이 되었는데, 이것에 대해 심의겸이란 사람이 반대하고 나섰어.
저게 감히!
김효원 1542~1590
반대요!
이조전랑
심의겸 1535~1587
이를 두고 조정이 두 편으로 갈라져 다툼이 일어나게 된 것이지.
쩍!!
조정

당시 심의겸의 집이 서쪽에 있었으므로 그를 지지하는 사람들을 서인이라 했고, 김효원의 집은 동쪽에 있었으므로 그를 지지하는 사람들은 동인이라고 하게 되었는데, 이것이 바로 붕당의 시작이야.
서인
VS
동인
이처럼 붕당이 발생한 원인은 양반의 숫자는 증가하는 데 비해 관직의 수는 한정돼 있기 때문이야.
와글
밀지 마!
와글
관 직
결국 붕당간의 다툼이란 관직을 차지하기 위한 양반 간의 정치적 싸움이지.
넌 우리당이 아니니까
뻥!
관 직
상대편 당을 몰아내면, 그 당의 사람이 벼슬자리를 차지하게 되고,
올라와 자리 만들었어.
으악!
관 직
이렇게 쫓겨난 세력은 다시 그 자리를 찾기 위해 기다리다가 기회를 엿봐 보복을 하고는 했지.
와글
잊지 않겠다!
관 직
이렇다 보니 붕당 간의 정치적 싸움이 시간이 갈수록 더욱 심해질 수밖에 없었어.
우당탕탕!
관직
또한 붕당 간에도 정치적 사안에 따라 나눠지거나 붕당이 소멸되기도 했어.
잘했어.
뿅!
이중환이 《택리지》를 지을 때인 영조 때에는 서인의 경우 노론과 소론으로,
서인
노론
소론
동인의 경우는 남인과 북인으로 나뉘어 있었는데,
동인
북인
남인
이를 흔히 사색당파라고 해.
사색당파
동인
서인
노론
소론
북인
남인

이때는 붕당정치로 인한 피해가 점점 커지던 시기였어. 이에 대해 이중환은 "조정에서는 사색당파 간에 원한이 날로 깊어져서 서로를 역적이라고 모략했는데, 그 영향이 지방에까지 미쳐서 온 나라가 하나의 전쟁터가 되었다."고 쓰고 있지.
으악
윽
으악
헉
으악

또한 "붕당이 다르면 서로 혼인하지 않는 것은 물론이고 상대를 결코 용납하지 않았으며,
낭자~
흑흑

다른 파벌과 친해지면 지조가 없다거나 항복했다고 헐뜯으며 서로 배척했어.
하하
헤헤
지조없는 놈!
흥이다!

건달이든 종이든 한번 아무개 집 사람이라고 하면 다른 집을 섬기고자 해도 결코 용납하지 않았다."고 하고 있을 정도였어.
넌 어느 붕당이냐!
무서워~
우리 붕당 아니지!

이렇게 붕당정치의 피해가 커지게 되자 영조는 붕당정치의 원인인 이조전랑의 권한을 축소하고 모든 당파를 다같이 등용하는 탕평책(蕩平策)을 실시하게 되었지.
탕평책
동인
서인
그래서 모든 당파들이 벼슬을 하게 되었지만 관직은 한정되어 있는데 반해서 벼슬할 사람들이 많아져 경쟁이 더욱 극심해지게 되었어.
관직
노론
북인
소론
남인
한양은 붕당이 한 곳에 모여 있어서 풍속이 뒤섞여 있었고,
한양
지방의 경우에는 각 고을에 따라 나뉘어 살았어.
다만 경상도 만큼은 남인이었던 서애 유성룡의 영향으로 남인들이 많이 살고 있었지.
와~
유성룡
와~
그러나 평안, 황해, 함경도에는 사대부들이 별로 살고 있지 않았기 때문에 이 곳의 붕당에 대해 《택리지》에서는 언급을 하고 있지 않아.
함경도
평안도
황해도
그렇구나
다만, 이 책에서는 사대부가 사는 마을은 모두 인심이 고약하다고 말하고 있어.
이리 오너라!
저리 가거라!
그 이유가 지방에서조차도, 그들끼리 당파를 만들어 건달패를 끌어 들이고, 권세를 부려 일반 백성을 괴롭히기 때문이라고 말하고 있어.
돈 갚아!
또한 당색이 다른 자와는 같은 마을에 살지 못했는데 혹시 다른 당색끼리 같은 마을에 살게 되면 상상할 수 없을 정도로 비방하고 욕하기 때문이라고 말했지.

이처럼 이중환은 이 붕당의 폐단을 강하게 비판했는데,
덤벼!
붕당
누구보다도 이중환 자신이 이 붕당 정치로 인해 오랫동안 유배 생활을 했기 때문에 붕당 정치에 대해 비판적일 수밖에 없었겠지.
흑
결국 《택리지》에서는 "사대부가 어느 고을에 들어가 살고자 한다면 인심의 좋고 나쁨을 논할 필요도 없고, 기후가 맞지 않더라도 같은 붕당이 많이 사는 곳을 찾을 수밖에 없게 되었다."고 하고 있지.
앞산 너머에 좋은 집터가 나왔사온데….
거긴 노론 벽파가 모여 사는 데 아니냐? 큰일날 소릴!
현실이 이러니 어쩔 수 없지….
그렇게 해야만 서로 찾아가 이야기할 수 있는 즐거움이 있을 것이요. 학문을 닦고 연마할 수도 있을 것이다.
그리고 사대부가 살 곳을 고르는 또 하나의 방법으로 사대부가 없는 곳을 택하면 된다고 하고 있어.
사대부 없는 곳
살 만한 곳이군
문을 걸어 잠근 채 사귐도 끊고 홀로 성품을 착하게 닦는다면, 농부나 수공업자나 장사꾼이 되더라도 그 가운데 즐거움이 있다는 것이지.
그러면 아마 인심의 좋고 나쁘고를 얘기할 필요가 없었을 거야. 그렇지?
옳소!

조선 시대의 경제생활

▲
파종을 위해 논갈이를 하는 농민의 모습. 김홍도 〈논갈이〉.

조선 시대의 경제생활은 어떠했을까요? 이는 결국 조선 시대의 사람들이 무엇으로 먹고 살았는가 하는 것입니다. 조선 시대는 신분사회였습니다. 양반, 중인, 상민 그리고 천민으로 구성되어 있었죠. 양반이란 사람들은 과거를 통해 관리가 된 사람들이었는데, 나중에는 과거에 합격하지 않았어도 그 후손인 사람들을 포함하여 말하게 됩니다. 이들은 경제 활동, 즉 생산 활동을 하지 않았답니다. 생산 활동을 통해 먹고 살아야 하는데, 이들은 직업이 없었던 겁니다. 그러면 어떻게 먹고 살았을까요? 물론 관리들의 경우 국가로부터 땅이나 곡식을 받았습니다. 하지만 관리가 아닌 양반의 경우는 직업이 없었다고 볼 수 있었습니다.

그럼에도 불구하고 먹고 살 수 있었던 것은 이들이 토지를 갖고 있었기 때문입니다.

이 토지를 상민들에게 빌려주고 그 대가로 쌀을 받았던 거지요. 흔히 말하는 팔자 좋은 사람들인 겁니다. 그러니 특권계급이라고 할 수 있는 거겠죠.

중인들은 양반과 달리 직업이 있던 사람들이었습니다. 오늘날로 말하자면 일종의 전문직이라고 할 수 있는 직업들에 종사했습니다. 이들은 하급 관리들이 많았는데, 주로 의학, 통역, 기술자 등에 종사를 했으며, 지방의 아전이나 낮은 군관도 이들에 해당했습니다. 이 중에서 통역을 담당하는 역관은 중국어나 일본어가 가능하기 때문에 상업 활동에도 깊숙이 관여하여 많은 재물을 축적하고는 했답니다.

▲
추수 후 타작하는 모습. 오른쪽 위 일을 감시하는 양반 지주의 모습이 보인다.
김홍도 〈타작〉.

조선 시대 대부분의 사람들은 상민이었습니다. 이들은 대부분 농사를 짓는 농민들이었습니다. 그런데 이들은 자기 땅을 갖고 농사를 짓는 경우도 있었지만 양반들의 땅이나 국가 소유의 땅을 빌려 농사를 짓는 경우도 많았습니다. 더군다나 농사를 짓고 나면 농사지은 양의 상당한 부분은 땅 주인에게 내야만 했으며, 또 일부는 국가에 세금으로 내야 했습니다. 물론 자기 땅을 가지고 있는 농민들도 국가에 세금은 내야만 했습니다. 사실상 조선이라는 나라가 농업을 중시하는 국가였다는 점을 생각하면 이들이 바로 조선의 재정을 담당한 사람들이었다는 것을 알 수 있습니다. 이들은 조세만이 아니라 국가를 위해 일을 하기도 하고, 특산물을 바치기도 했었습니다.

조선 후기에 와서는 이러한 것들을 쌀이나 옷감으로 대신하기도 했었지만 말입니다. 이들은 필요한 물건이 생기면 정기적으로 장이 서는 곳에서 물물교환을 통해 필요한 물건을 사고는 했습니다. 이때 화폐 대신에 쌀이나 옷감을 이용해 물건 값을 지불했습니다만 조선 후기에 들어와서는 상평통보라는 화폐가 널리 사용되기에 이르렀습니다.

▲
조선의 본격적 화폐인 상평통보. 위로부터 당1전, 당2전, 당100전.

상민 중에서 상업이나 수공업에 종사하는 사람들도 있었습니다. 조선이라는 사회가 상업과 공업을 중요시 하지는 않았으나 조선 후기로 오면서 상품과 화폐경제가 발달하면서 점차 이들의 활동도 활발해졌습니다. 상업 활동 중에서도 주목할 만한 것은 한 지역의 상권을 가지고 있는 조직들이 있었다는 겁니다. 경강상인, 개성상인, 의주상인, 동래상인이 바로 그들입니다. 이들은 국내의 상권을 장악했음을 물론 중국이나 일본과의 무역에도 깊이 관여를 했던 사람들입니다. 이들 외에도 보부상들이 있어서 정기적으로 열리는 장시를 돌아다니면서 장사를 하고는 했습니다. 조선 후기 점차 상업이 활발해지면서 며칠에 한 번 열리던 장시 중에는 상설시장으로 발달하는 경우도 생기게 되었는데, 대표적인 곳이 강경, 대구 등입니다. 그리고 이런 곳들을 중심으로 도매업, 창고업, 운

▼
김홍도 〈장터길〉.

수업과 같은 일을 담당하는 객주가 나타나기도 하였습니다.

수공업자들은 주로 관청에 소속되어 관청에서 필요한 물품을 생산하는 경우가 많았습니다. 그리고 일정 기간 지나면 자유로운 생산 활동이 허용되어 물건을 제조하여 판매하였답니다. 조선 후기에는 이러한 관영수공업보다는 국가에 세금을 납부하고 수공업 활동을 하는 사람들이 증가하였습니다. 특히 안성의 유기, 통영의 칠기, 전주의 부채 등이 유명하였습니다.

▲ 조선 후기 장날 노점의 모습.

이처럼 조선은 원래 농업 중심의 사회였으나 조선 후기로 오면서 상품, 화폐 경제가 발달했고 상업과 수공업 활동이 활기를 띠게 되었습니다. 그러나 근대 이후 일본인들의 경제적 침투로 조선 사람들의 경제적 활동은 점차 쇠퇴하게 되었답니다.

▲ 도자기는 생활에 없어서는 안 될, 장터의 주요 거래 품목이었다.

제5-4장
산수, 경치가 수려한 곳
《택리지》에서 사대부가 살만한 곳을 정할 때 마지막으로 고려해야 할 조건으로 산수(山水), 즉 경치의 아름다움을 들고 있어.
후아~
흠-
경치가 수려하고 아름다워야 사람의 마음도 밝아지고 화창해진다는 것인데,
여러분도 경치가 좋은 곳에 가면 마음이 탁 트여지고 밝아지는 것을 느끼잖아.
야~호!
야호
여러분 부모님 중에는 퇴직 후에 산 좋고 물 좋은 곳에서 살고 싶다는 말씀을 하는 분들이 꽤 많지? 이것은 옛날이나 지금이나 사람이 살 만한 곳으로 산수가 중요하다는 것을 말해주는 거야.
와
山水
와

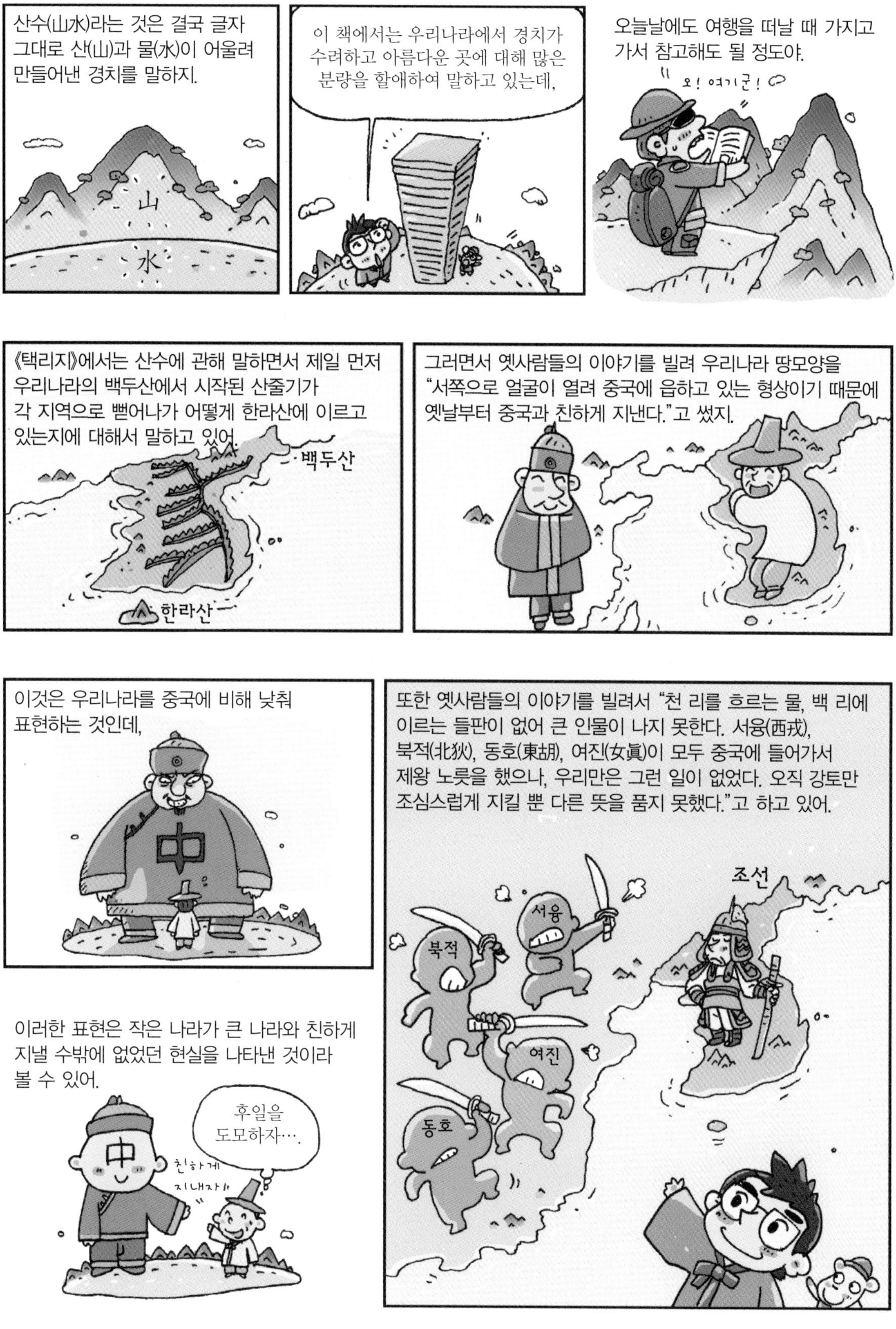
산수(山水)라는 것은 결국 글자 그대로 산(山)과 물(水)이 어울려 만들어낸 경치를 말하지.
山
水
이 책에서는 우리나라에서 경치가 수려하고 아름다운 곳에 대해 많은 분량을 할애하여 말하고 있는데,
오늘날에도 여행을 떠날 때 가지고 가서 참고해도 될 정도야.
오! 여기군!
《택리지》에서는 산수에 관해 말하면서 제일 먼저 우리나라의 백두산에서 시작된 산줄기가 각 지역으로 뻗어나가 어떻게 한라산에 이르고 있는지에 대해서 말하고 있어.
백두산
한라산
그러면서 옛사람들의 이야기를 빌려 우리나라 땅모양을 "서쪽으로 얼굴이 열려 중국에 읍하고 있는 형상이기 때문에 옛날부터 중국과 친하게 지낸다."고 썼지.
이것은 우리나라를 중국에 비해 낮춰 표현하는 것인데,
中
또한 옛사람들의 이야기를 빌려서 "천 리를 흐르는 물, 백 리에 이르는 들판이 없어 큰 인물이 나지 못한다. 서융(西戎), 북적(北狄), 동호(東胡), 여진(女眞)이 모두 중국에 들어가서 제왕 노릇을 했으나, 우리만은 그런 일이 없었다. 오직 강토만 조심스럽게 지킬 뿐 다른 뜻을 품지 못했다."고 하고 있어.
조선
서융
북적
여진
동호
이러한 표현은 작은 나라가 큰 나라와 친하게 지낼 수밖에 없었던 현실을 나타낸 것이라 볼 수 있어.
후일을 도모하자….
中
친하게 지내자!

우리나라 북쪽의 드넓은 지대에 거주했던 민족들은 한때 중국을 정복하여 군림을 했는데,
거란
몽고
여진
우리 민족만은 그렇지 못했다는 거지.
…
그런데 그 이유로 우리나라가 넓은 들판과 긴 강이 없기 때문이라고 했지만
이것은 이솝이 지은 〈여우와 신포도〉 이야기처럼 자기가 할 수 없는 일에 대한 하나의 변명에 지나지 않아.
못 먹는 게 아니라 안 먹는 거야!
맛도 없을 텐데…
보다 큰 이유는 정치, 사회 체제나 군사력과 같은 것인데 말이야.
《택리지》에서는 우리나라의 경치 좋은 곳 중에서 가장 많이 언급하고 있는 것이 산인데,
우리나라가 산이 많은 지형이란 것을 고려하면 당연하다 하겠지.
우리나라에서는 옛날부터 금강산을 봉래, 지리산을 방장, 한라산을 영주라 했는데, 이 세 산이 바로 우리나라를 대표하는 산이야.
이 셋을 이른바 삼신산이라 했어.
오호!
금강산 봉래
지리산 방장
한라산 영주

그 중에서 가장 먼저 언급하고 있는 산이 금강산이야.
백두산
금강산
지리산
한라산
금강산 일만이천 봉은 오로지 돌로 이루어져 있는데, 금강산을 개골산이라고 부르는 이유가 한 움큼의 흙도 없기 때문이고,
만 길 산꼭대기와 백 길 연못에 이르기까지 모두 돌로 되어 있는데, 이런 풍경은 천하에 둘도 없다고 하여 우리나라 최고의 명산으로 언급하고 있어.
최고닷!
지리산은 백두산의 큰 줄기가 다한 곳이라 해서 두류산(頭流山)이라고도 했어.
백두산
지리산
지리산은 계곡이 깊고, 산 속에는 백 리나 되는 긴 골짜기가 많은 만큼 그 경치가 대단히 뛰어나.
그런데, 이 지리산이 다른 산과 다른 점은 《택리지》의 표현에 의하면 "남해와 가까워 기후가 온난하므로 산 속에 대나무가 많고, 감과 밤도 대단히 많아서 저절로 열렸다가 떨어지며,
곡식이 씨를 뿌리면 무성하지 않은 곳이 없을 정도로 풍족한 곳"이라고 해.
쑤욱
이런 이유로 이 산에 사는 백성은 흉년을 모르고 지내므로 부산(富山)이라고 부른다고 하지.
부자 되세요!
고마워요
즉 경치만 좋은 곳이 아니라 먹고 살기도 좋은 곳이란 이야기야.
꺽~

제주 한라산은 산 위에 큰 못 (백록담)이 있어 사람들이 큰 소란을 피우면 구름과 안개가 크게 일어난다고 하고 있어.
향기로운 바람이 온 산에 가득한데, 전해 오는 말에 의하면 신선이 늘 놀고 있다고 하지.
산 북쪽에 제주읍의 관아가 있는데 이곳은 옛 탐라국이라고 해.
탐라국
신라 때 속국이 되었는데, 원나라에서 이곳에 목장을 만들었기 때문에 좋은 말을 낳아 해마다 공물로 바쳤다고 해.
좋은 말이로구나.
이외에도 《택리지》에서 언급하고 있는 산은 훨씬 많은데,
택리지
그 중에서 태백산과 소백산에 대해서 중요하게 다루고 있어.
태백산
소백산
태백산과 소백산은 흙산으로 흙빛이 수려하다고 하고 있는데, 다른 산에서는 언급하지 않은 대목이 눈에 띄어.
반짝
반짝
태백산에는 옛날부터 세 가지 재난인 화재, 수재, 풍재가 들지 않는 곳이라고 해.
오지 마.
안 돼.
화재
수재
풍재
풍수사 남사고는 소백산을 보고 말에서 내려 절했다고 해.
이 산은 사람을 살리는 산이다.
남사고
남사고
1509~1571
그리고 자신의 책에서 “난리를 피하는 데는 태백산과 소백산이 제일이다.”라고 적었다고 하지.
태백산
소백산
어디 갔지?
이것은 결국 이 태백산과 소백산 사이의 지역이 우리나라에서 난을 피해 살 수 있을 만한 곳 중에서 가장 좋은 곳임을 말하는 거야.
아 하!
나도 위험하면 이곳으로 와야지.

그런데 이러한 명산들이 주로 "숨어 사는 이들이 수양하는 곳"이라고 하면서,
"천하의 명산은 스님들이 차지하고 있다."라고 말하고 있지.
나무 아미타불
그러면서 부석사, 통도사 등과 같이 유명한 사찰들에 대해서도 언급하고 있어.
부석사
통도사
또한 우리나라의 이름난 호수와 강 주변의 경치 좋은 곳을 언급하고 있는데,
호수 중에서 경치가 으뜸인 곳으로 주저 없이 강원도 영동지방을 택하고 있어.
영동지방
고성 삼일포는 마치 숙녀가 곱게 화장한 것 같아서 사랑스러우면서도 공경할 만하고,
강릉 경포대는 활달한 가운데 웅장하면서도 아늑한 기운이 은은하여 무어라 형언할 수 없다고 표현했어.
흡곡의 시중대는 맑으면서도 엄숙하고 평범하면서도 깊이가 있다고 했는데,
호수 중에서 이 세 곳의 경치가 으뜸이라고 했지.
와
삼일포
경포대
시중대
그외 영동의 간성 화담, 영랑호, 양양 청초호도 언급하면서 이 영동의 여섯 호수는 사뭇 인간 세상 같지 않다고 할 정도였어.
어때? 여러분도 가보고 싶지?
다다다

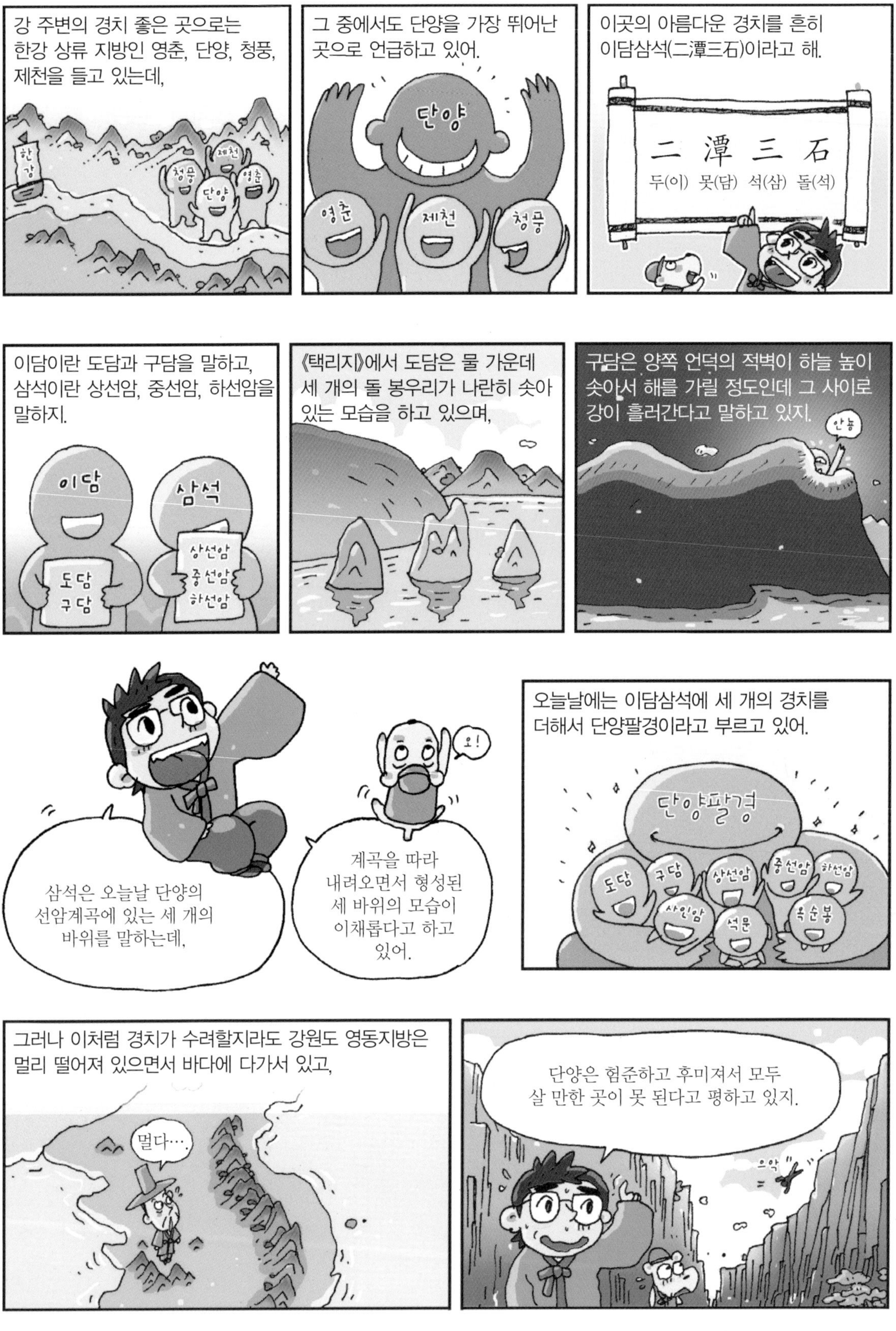
강 주변의 경치 좋은 곳으로는 한강 상류 지방인 영춘, 단양, 청풍, 제천을 들고 있는데,
한강
제천
청풍
영춘
단양
그 중에서도 단양을 가장 뛰어난 곳으로 언급하고 있어.
단양
영춘
제천
청풍
이곳의 아름다운 경치를 흔히 이담삼석(二潭三石)이라고 해.
二 潭 三 石
두(이) 못(담) 석(삼) 돌(석)
이담이란 도담과 구담을 말하고, 삼석이란 상선암, 중선암, 하선암을 말하지.
이담
삼석
도담 구담
상선암 중선암 하선암
《택리지》에서 도담은 물 가운데 세 개의 돌 봉우리가 나란히 솟아 있는 모습을 하고 있으며,
구담은 양쪽 언덕의 적벽이 하늘 높이 솟아서 해를 가릴 정도인데 그 사이로 강이 흘러간다고 말하고 있지.
안뇽
삼석은 오늘날 단양의 선암계곡에 있는 세 개의 바위를 말하는데,
오!
계곡을 따라 내려오면서 형성된 세 바위의 모습이 이채롭다고 하고 있어.
오늘날에는 이담삼석에 세 개의 경치를 더해서 단양팔경이라고 부르고 있어.
단양팔경
도담
구담
상선암
중선암
하선암
사인암
석문
옥순봉
그러나 이처럼 경치가 수려할지라도 강원도 영동지방은 멀리 떨어져 있으면서 바다에 다가서 있고,
멀다….
단양은 험준하고 후미져서 모두 살 만한 곳이 못 된다고 평하고 있지.
으악

결국 산과 강으로 이루어진 수려한 경치가 비록 한 때 구경할 만하기는 하지만,
스님이나 도 닦는 사람이라면 몰라도 사대부가 대를 이어서 살 곳은 아니라는 얘기야.
여러분에게 경치 좋은 산골에 가서 며칠 여행하고 오라 하면 좋아하겠지만,
바다다!
와!
평생 살라고 하면 가겠다고 하는 사람이 별로 없는 것과 같은 거지.
이제 집에 가요….
그러면 경치도 괜찮으면서 사람이 살기에도 괜찮은 곳은 어디라는 것일까?
그런 곳이 있어?
이에 대해서 《택리지》에서는 산수를 고려하여 사람이 살 만한 곳을 셋으로 분류하고 있어.
조선 시대에는 "냇가에 사는 것은 강가에 사는 것만 못하고, 강가에 사는 것은 바닷가에 사는 것만 못하다."라는 말이 있었어.
왜?
이렇게 말하는 이유는 바다와 강가에서 물건을 교역하여 얻는 이익 때문이야.
그런데 이 책에서는 바다는 바람이 많아서 사람의 얼굴이 검게 되기 쉽고 각종 질병이 많으며,
으…
샘물이 귀하고 땅에 소금기가 있어 살기에 어려움이 있다고 하고 있어.
으아 짜다!

그러면서 강가의 고을 중에서 가장 살기 좋은 곳으로 첫째 평양의 바깥 지역, 둘째 춘천의 우두촌, 셋째 한강의 여주읍을 들고 있지.
평양
춘천 우두촌
여주
대개 강마을의 경우 경치는 즐길 수 있을지언정 먹고 살기에는 어려움이 있는데, 위 세 곳은 들판이 널찍하여 농사짓기에 적당하기 때문에 살기에 좋다고 하고 있지.
평양 외곽
여주
우두촌
그리고 냇가 고을을 선택할 때는 반드시 고개가 멀지 않은 곳이어야 살 만하다고 했는데
쿵!
이는 전쟁이 일어났을 때 산 속으로 숨을 수 있기 때문이라고 해.
아무도 없네
쳇!
쳇!
냇가의 살 만한 곳으로 첫째로 꼽은 지역이 앞에서도 한 번 말했던 경상도 예안의 도산과 안동의 하회야.
예안 도산
안동 하회
두 마을 모두 경치가 수려하고, 농경지도 적절하게 갖추고 있어 평상시에 살 만한데, 거기에다 소백산이 가까워 난세에도 숨어 살 만한 곳으로 평가하고 있어.
소백산이 있어 든든하구나…
《택리지》에서는 도산과 하회 이외에도 전국 각 지방의 살 만한 냇가 마을들에 대해서 자세하게 언급하고 있어.
와우!
택리지
그리고 이 마을들이 살 만한 이유로 '병란을 피할 만한 곳이다.', '복된 땅이다.' 등과 같은 표현을 사용하고 있지.
도산
하회
복된땅
조선 후기는 임진왜란과 병자호란 같은 큰 전쟁으로 각 지방마다 그 피해가 상당했기 때문에, 전쟁을 피해서 살 수 있을 만한 곳에 대한 관심이 컸어.
윽
크윽!
윽!
흑흑

실제로 조선 후기에 풍수사 남사고뿐만아니라 《정감록》이란 책에서도 전쟁을 피해 살 수 있을 만한 열 곳으로 언급한 '십승지지'를 실제로 찾아가 살고자 하는 사람들 때문에 사회 문제가 될 정도였다고 해.
여보! 빨리!
십승지지
우르르르르…
이런 시대 상황 속에서 이중환도 살 만한 곳을 선정할 때 이 조건들을 고려할 수밖에 없었던 거야.
우글우글…
우글
우글
우글
특히 이중환은 남사고의 말을 많이 인용하고 있는데, 남사고가 '십승지지'로 지목한 곳은 풍기의 금계촌, 안동의 내성, 보은의 속리산, 운봉 두류산(지리산), 예천의 금당동, 공주의 유구천과 마곡천 사이, 영월의 정동 상류, 무주의 덕유산, 부안 변산, 성주의 만수동이야.
십승지지
영월 정동상류
예천 금당동
보은 속리산
안동 내성
풍계 금계촌
공주
무주 덕유산
성주 만수동
부안 변산
운봉 두류산
이곳들은 《택리지》에서도 대체로 전쟁을 피해 살 수 있을 만한 곳으로 언급하고 있어.
크하하하!
전쟁
이 외에도 전국에 걸쳐 전란을 피할 수 있을 만한 곳들을 많이 언급하고 있는데,
흑
휙!
쾅!
그 중 많은 수가 태백산에서 소백산을 거쳐 지리산으로 이어지는 곳에 위치한 마을들이야.
태백산
지리산
이러한 마을들은 모두 큰 도로에서 떨어져 있어 교통이 불편하다는 공통점을 가지고 있어.
털털털

게다가 이곳은 대체로 산간 지역이라
털털털
농토가 제대로 갖추어지지 않아서 먹고 살기에는 힘든 곳이 많은 편이지.
꼬르륵
난은 피해 왔는데 배고픔이….
이곳들 중에서 《택리지》가 복지(福地) 또는 길지(吉地)로 언급한 곳들은 산수가 수려하고 외부에 잘 노출되지 않는 데다가, 토지까지 비옥해서 주민들이 먹고 살아갈 만한 곳을 말하는데, 평상시나 전쟁시에나 모두 살 만한 곳이어서 복 받은 땅이라는 거지.
산간이 아니라 들판에 위치한 냇가 마을 중에서 살 만한 곳으로 첫째 공주의 갑천, 둘째 전주의 율담, 셋째 청주의 작천, 넷째 선산의 감천, 다섯째 구례의 구만을 언급하고 있어.
한양
청주 작천
공주 갑천
선산 감천
전주 율담
구례 구만
그런데 이곳들은 모두 지리와 생리가 뛰어나서
지리
생리
이것만 고려한다면 오히려 도산, 하회보다 더 훌륭한 곳일 정도야.
쑥!
쑤욱!
도산
하회
다만 고개와 멀리 떨어져 있어 평상시에는 살기 좋으나 전쟁을 피할 만한 곳은 아니라는 단점이 있지.
헉!
오직 구만은 동쪽에 지리산이 있어 치세건 난세건 살 만하다고 했어.
지리산
구만

《택리지》에서는 사람이 살 만한 곳에 관해서 다음과 같이 마무리 하고 있어. 이 말은 오늘날에도 마찬가지일 거야.
"산수는 정신을 온화하게 하고 감정을 화창하게 하기 때문에, 사는 곳에 산수가 없으면 사람이 거칠어진다. 그러나 산수가 좋은 곳은 생리가 풍부하지 못한 곳이 많으므로 사람들이 자라처럼 숨어 살 수도 없고 지렁이처럼 먹지도 못하니 산수가 좋은 곳만을 선택해 살 수는 없다. 그러므로 기름진 넓은 땅과 지리가 아름다운 곳을 골라 집을 짓고 사는 것이 좋다. 그런 후에 십 리 밖이나 한나절 거리 안에 산수가 빼어난 곳을 골라 때때로 오가면 근심을 풀거나, 혹은 머물렀다가 돌아올 수 있다면, 이야말로 자손 대대로 이어나갈 방법이다."
아마 이중환이 현대에 태어났다면 이렇게 말하지 않았을까?
"교통 편리하고, 직장 가까우면서, 아이들 교육시키기 좋고, 문화 생활도 즐길 수 있는 곳에 집을 정해서 살고, 한나절 정도 차로 이동하여 좋은 경치를 즐길 수 있으면 좋지 않겠는가!"

이중환은 《택리지》를 마치면서 끝맺음으로 다음과 같이 말하고 있어.

"처음 얘기가 사대부에서 나왔으나, 결국 사람들이 서로 용납하지 못하는 지경에 이르렀다.

그러므로 동쪽에도 살 수 없고, 서쪽에도 살 수 없으며, 남쪽에도 살 수 없고, 북쪽에도 살 수 없다. 이렇게 되면 장차 살 곳이 없어질 것이고, 살 곳이 없으면 동서남북도 없을 것이다.

동서남북이 없다는 것은 사물의 구별이 확실하지 않은 하나의 태극도를 뜻한다. 그렇게 되면 사대부도 없고 농 · 공 · 상도 없으며 살 만한 곳도 없을 것이니, 이것을 땅이 아닌 땅이라 하는 것이다. 이러한 이유로 사대부가 살 만한 곳을 적어 보았다."

이 말은 살 만한 곳을 찾으려 해도 살 곳이 없음을 한탄하는 것으로 볼 수 있는데, 그 시대에 대한 아쉬움과 비판으로 생각하면 될 것 같아. 더불어 이중환은 《택리지》를 후세에 남겨서 사람들에게 조금이나마 도움이 되기를 바라는 마음이 있었다는 것, 잊지 않기를 바랄게.

백두대간

백두산
지리산

백두대간이란 백두산에서 시작해 지리산까지 이어지는 크고 긴 산줄기를 말합니다. 이 산줄기는 우리나라를 대표하는 산들인 백두산, 금강산, 설악산, 태백산, 소백산, 속리산, 덕유산, 지리산 등을 포함하고 있습니다. 현재 우리가 교과서에 배우는 산맥체계로 보면, 마천령, 함경, 태백, 소백산맥의 전부 혹은 일부를 포괄할 정도로 큰 산줄기입니다. 또한 우리나라를 대표하는 강들인 두만강, 압록강, 한강, 낙동강 등이 발원하는 곳이기도 합니다. 그야말로 우리나라를 대표하는 산줄기라고 할 수 있습니다.

백두대간이란 용어가 처음 사용된 것은 이익의 《성호사설》입니다. 또한 《성호사설》에서는 도선이 지은 《옥룡기》라는 책을 언급하고 있는데, 이 책에 "우리나라 산은 백두에서 일어나 지리산에서 끝난다."는 기록이 있습니다. 이것으로 보아 백두대간에 대한 인식은 상당히 오래 전부터 존재하고 있었음을 알 수 있으며, 김정호의 《대동여지도》, 이중환의 《택리지》 등에도 나타나고 있음을 볼 수 있습니다. 그리고 백두대간을 포함한 산줄기 체계가 1대간, 1정간, 13정맥의 모습을 갖게 된 것은 조선 영조 때 신경준에 의해 편찬된 《산경표山經表》에 의해서입니다.

《산경표》에서는 우리나라의 큰 산줄기를 1대간인 백두대간, 1정간인 장백정간, 13정맥인 낙남정맥, 청북정맥, 청남정맥, 해서정맥, 임진북예성남정맥, 한북정맥, 한남금북정맥, 한남정맥, 금북정맥, 낙동정맥, 금남호남정맥, 금남정맥, 호남정맥으로 구분하고 있습니다. 이러한 산줄기의 구분은 하천에 의해 나누어지는데, 이것은 산줄기 이름에서도 알 수 있습니다. 예를 들면 한강 북쪽의 산줄기를 한북정맥, 남쪽에 있는 산줄기를 한남정맥이라고 합니다. 마찬가지로 청천강 북쪽은 청북정맥, 남쪽은 청남정맥, 금강의 북쪽은 금북정맥, 남쪽은 금남정맥이라고 부릅니다.

다만 아쉬운 것은 이렇게 오랫동안 백두대간을 중심으로 우리의 산줄기를 파악하는 전통적인 지리인식이 근대에 들어서면서 사라지게 되었다는 겁니다. 1900년대 초 일본인 지질학자 고토 분지로가 우리나라의 지질에 대해 조사를 합니다. 그리고 그 결과를 근거로 우리나라의 산맥체계를 논문으로 발표하게 됩니다. 그리고 이것을 기초로 일본인 지리학자 야스 쇼에이가 《한국지리》란 교과서를 집필하는데, 이 교과서에서 언급한 태백산맥, 소백산맥을 비롯한 산맥체계가 오늘날까지 이어지게 된 겁니다. 이 산맥체계는 땅속에 보이지 않는 지질 구조선을 가지고 땅위의 산을 연결한 형태입니다. 그러다 보니 산을 연결한 형태인 산맥이라고 하는 것이 실제로는 강에 의해 끊기는 현상이 종종 나타나게 된 겁니다. 즉 산맥이라고 하는 것이 실제 우리가 보는 지형과 다르게 나타나게 된 겁니다. 이러다 보니 이러한 산맥체계는 실제 우리의 생활과도 분리된 채로 남아 있게 되는 경우도 생기게 되었습니다.

반면에 백두대간을 중심으로 파악한 산줄기는 이러한 산들이 끊어짐이 없이 이어지는 것에 중점을 두고 있습니다. 그러므로 이러한 산줄기는 실제 지형과도 일치하게 되며, 그 속에서 살아가는 사람들의 삶도 이 산줄기와 밀접하게 관련되어 이루어지게 됩니다. 결국 우리의 실생활을 반영하는 산줄기 체계라는 것이죠.

그렇기 때문에 백두대간을 중심으로 파악한 전통적인 산줄기 체계는 우리나라 땅에서 이루어진 모든 지리적, 역사적, 문화적인 현상을 이해하는 데 있어서 대단히 중요합니다. 그리고 우리가 이 산줄기 체계에 대해 관심을 갖고 계속 사용한다면, 언젠가는 지리 교과서에 조상들로부터 사용해오던 백두대간 중심의 산줄기 체계가 등장하게 될 거라 기대해 봅니다.

19

이중환 택리지

전근완 글 | 김강섭 그림

01 조선시대에 지어진 《택리지》는 무엇에 관해 쓴 책일까요?

① 살기 좋은 마을을 고르는 법에 관한 책

② 돈을 많이 벌 수 있는 방법에 관한 책

③ 나라를 잘 다스릴 수 있는 방법에 관한 책

④ 농사를 짓는 방법에 관한 책

⑤ 전쟁에서 승리할 수 있는 방법에 관한 책

02 《택리지》를 쓴 사람은 누구일까요?

① 정약용　② 유성룡　③ 이중환　④ 박은식　⑤ 이익

03 《택리지》의 사민총론 부분에서는 조선시대의 네 가지 신분에 대해 언급하고 있습니다. 여기서 언급하고 있지 않은 신분은 무엇일까요?

① 양반　② 농민　③ 수공업자　④ 상인　⑤ 노비

04 《택리지》의 복거총론 부분에서는 사람이 살만 한 곳을 선택할 때 고려해야 할 네 가지 조건에 대해 말하고 있습니다. 이 네 가지에 해당하지 않는 무엇일까요?

① 지리　② 생리　③ 인심　④ 신분　⑤ 산수

05 다음은 풍수지리에서 살기 좋은 땅을 선택할 때 고려해야 할 여섯 가지 조건에 관한 내용입니다. 그 조건에 해당하지 않는 것을 고르세요.

① 물이 빠져나가는 입구 ② 들판의 형세
③ 마을 북쪽에 있는 산(주산)의 모양 ④ 흙의 빛깔
⑤ 바다와의 거리

06 《택리지》의 팔도총론 부분에서는 조선시대의 여덟 지방인 8도에 대해 말하고 있습니다. 조선시대 8도에 속하지 않았던 지방은 어디일까요?

① 제주도 ② 황해도 ③ 경상도 ④ 함경도 ⑤ 강원도

07 다음 설명은 《택리지》의 팔도총론에 등장하는 여덟 개의 지방 중 한 곳에 관한 것입니다. 어느 지방에 대해 말하고 있을까요?

우리나라에서 지리가 가장 좋다. 예로부터 수천 년 동안 장수, 재상, 이름난 선비 등이 많이 나와서 인재의 창고라 한다.

08 《택리지》의 팔도총론에서 말하고 있는 여덟 개의 지방 중에서 왕이 살고 있는 지방은 어디일까요?

09 《택리지》를 쓴 이중환이 살았던 시대는 언제일까요?

10 이중환이 쓴 《택리지》의 복거총론 부분에서는 사람이 살기 좋은 곳을 선택할 때 고려해야 할 네 가지 조건에 관해 말하고 있습니다. 이 네 가지 조건이 무엇인지 간단히 설명하세요.

땅 밑을 흐르는 생기를 잘 보존하고 이용하기 위한 술법, 풍수지리

이중환은 《택리지》를 쓰며 '풍수지리' 사상을 반영하였습니다. 풍수지리 사상은 땅의 성격을 파악하여 좋은 터전을 찾는 것으로, 산세와 방위 등의 환경적인 요인을 인간의 길흉화복과 관련지어 집과 도읍 및 묘지 터를 잡아야 한다는 세계관입니다.
풍수지리 사상은 삼국시대 때 우리나라에 들어와, 신라시대 말 승려 도선에 의하여 발전했습니다. 이후 고려시대에 전성기를 이루면서 조정과 민간에 널리 보급되었지요.
그 후 조선시대를 거쳐 오늘날에 이르기까지, 인간이 거처를 정하는 데 있어 많은 영향을 끼쳐 왔습니다. 고려의 수도 개경, 조선의 수도 한양도 모두 풍수지리 사상에 토대를 두고 선택된 곳이었습니다. 또한 묘청 등은 풍수지리를 이용해 서경 천도를 주장하기도 했지요. 지금도 적지 않은 사람들이 집 안의 가구를 배치할 때 풍수지리 사상을 참고하기도 합니다.

북한산: 중심이 되는 산인 '주산'
인왕산: 명당을 지키는 듯 감싼 산인 '백호'
한강: 명당 앞쪽으로 흐르는 강인 '명당수'
경복궁: 집이나 궁궐 자리인 '명당'
응봉: 명당을 지키듯 감싼 산인 '청룡'

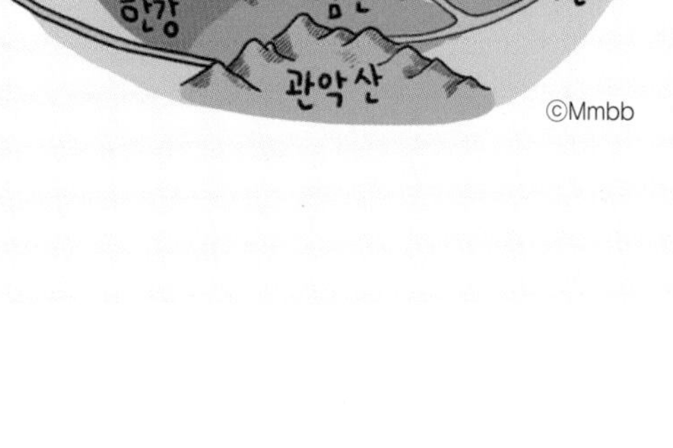
북한산
응봉
인왕산
명당
(경 복궁)
한강
남산
낙산
관악산

©Mmbb

통합교과학습의 기본은 세계사의 이해,

세계대역사 50사건

제대로 알차게 만든 교양 세계사 만화!

우리 집 최고의 종합 인문 교양서!

★서양사와 동양사를 21세기의 균형적 시각에서 다룬 최초의 역사 만화
★세계사의 핵심사건과 대표적 인물을 함께 소개해 세계사의 맥락을 짚어 주는 책
★시시각각 이슈가 되는 세계사 정보를 지식이 되게 하는 재미있는 대중 교양서

1. 파라오와 이집트
2. 마야와 잉카 문명
3. 춘추 전국 시대와 제자백가
4. 로마의 탄생과 포에니 전쟁
5.석가모니와 불교의 발전
6. 그리스 철학의 황금시대
7. 페르시아 전쟁과 그리스의 번영
8. 알렉산드로스 대왕과 헬레니즘
9. 실크 로드와 동서 문명의 교류
10. 진시황제와 중국 통일
11. 카이사르와 로마 제국
12. 로마 제국의 황제들
13. 예수와 기독교의 시작
14. 무함마드와 이슬람 제국
15. 십자군 전쟁
16. 칭기즈 칸과 몽골 제국
17. 르네상스와 휴머니즘
18. 잔 다르크와 백년전쟁
19. 루터와 종교개혁
20. 코페르니쿠스와 과학 혁명
21. 동인도회사와 유럽 제국주의
22. 루이 14세와 절대왕정
23. 청교도 혁명과 명예혁명
24. 미국의 독립전쟁
25. 산업 혁명과 유럽의 근대화
26. 프랑스 대혁명
27. 나폴레옹과 프랑스 제1제정
28. 라틴 아메리카의 독립과 민주화
29. 빅토리아 여왕과 대영제국
30. 마르크스_레닌주의
31. 태평천국운동과 신해혁명
32. 비스마르크와 독일 제국의 흥망성쇠
33. 메이지 유신 일본의 근대화
34. 올림픽의 어제와 오늘
35. 양자역학과 현대과학
36. 아인슈타인과 상대성 원리
37. 간디와 사티아그라하
38. 마오쩌둥과 중국 공산당
39. 대공황 이후 세계 자본주의의 발전
40. 제2차 세계 대전
41. 태평양 전쟁과 경제대국 일본
42. 호찌민과 베트남 전쟁
43. 팔레스타인과 이스라엘의 분쟁
44. 넬슨 만델라와 인권운동
45. 카스트로와 쿠바 혁명
46.아프리카의 독립과 민주화
47. 스푸트니크호와 우주 개발
48. 독일 통일과 소련의 붕괴
49. 유럽 통합의 역사와 미래
50. 신흥대국 중국과 동북공정
★가이드북

김창회 외 글 | 진선규 외 그림 | 232쪽 내외